Le Nouveau Roman

suivi de

Les raisons de l'ensemble

Du même auteur

Jean Ricardou

Le Nouveau Roman

suivi de

Les raisons de l'ensemble

Éditions du Seuil

LA PREMIÈRE ÉDITION DE CET OUVRAGE A PARU
DANS LA COLLECTION «ÉCRIVAINS DE TOUJOURS» EN 1973

ISBN 2-02-012391-6
(ISBN de la 1ʳᵉ publication : 2-02-000092-X)

© ÉDITIONS DU SEUIL 1973, 1990

Aux nouveaux lecteurs

Les êtres les plus imaginatifs ont le sens de la théorie, parce qu'ils n'ont pas peur qu'elle bride leur imagination, au contraire. Mais les faibles redoutent la théorie et toute espèce de risque, comme les courants d'air.

Pierre Boulez

Préface
à l'édition nouvelle

Avec son cinquième tirage, l'actuel volume, publié jusqu'ici dans la collection « Écrivains de toujours », prend place au sein d'une autre série. Plusieurs métamorphoses sont ainsi devenues loisibles, suffisantes pour qu'il soit permis d'annoncer une édition nouvelle. Ce sont en quatre lieux qu'elles interviennent.

★

Le premier, bien sûr, est cette préface, puisqu'elle forme en soi-même un ajout.

★

Le suivant, avec ses cinq chapitres, est le dispositif conceptuel qui a seulement subi un jeu de modifications restreintes.

Les unes touchent aux illustrations. Elles sont profuses dans la série « Écrivains de toujours », plus rares dans la collection « Points ». J'ai donc retiré les images moins organiquement liées au propos, soit qu'elles fissent preuve d'un rien d'anecdotisme (ainsi, notamment, les photographies de certains nouveaux romanciers, devant les Éditions de Minuit en 1959, et à Cerisy en 1971), soit qu'elles jouassent un rôle aux limites du décoratif (ainsi, entre autres, le Portrait des Arnolfini, de Van Eyck, avec son miroir, ou la nature morte offrant un exemple quelque peu superflu pour « les pommes de Cézanne »). Et j'ai conservé les documents d'espèce technique (aussi bien les schémas noués aux démonstrations que, porteuses souvent de travaux préliminaires, plusieurs manuscrites pages des romanciers).

D'autres changements concernent le style. Ayant eu à relire

mes lignes, je n'ai pas cru, c'est la moindre des politesses sitôt qu'on a en vue l'agrément du lecteur, devoir, il eût fallu davantage, peut-être, leur éviter maintes retouches à cet égard.

En revanche, pour le principal, si l'on excepte des rectifications minimes (et principalement, au chapitre trois, à la suite des remarques d'un spécialiste [1], davantage de précautions dans le diagnostic de « mise en abyme »), les analyses n'ont point varié. Un argumentaire, je vais y venir, souhaitait leur reconduite telles. Un autre voulait plutôt leur changement : je dirai pourquoi il ne fut pas suivi.

L'on ne saurait saisir ce qui a porté au maintien des conceptions en l'état, sans savoir quelle fut la méthode requise. Elle présentait deux phases.

D'abord, et au rebours de ce qu'à l'époque avait fait la critique, établir en rigueur, si possible, loin de tout quelconque avis personnel, insignifiant en l'occurrence, un ensemble, opératoirement clos, d'écrivains épinglables sous l'enseigne « Nouveau Roman ». Du coup, changer, en vue de la présente réédition, cette partie du livre n'eût été nécessaire que dans l'une, au moins, des deux occurrences suivantes. Ou bien une pertinente mise en cause, par la critique notamment, du protocole retenu lors pour choisir les romanciers. Ou bien la revendication d'écrivains s'estimant, preuve à l'appui, avoir été victimes, celui-ci d'un enrôlement abusif, celui-là d'un ostracisme indu. Or il se trouve qu'au fil des années rien de cet ordre n'a surgi.

Ensuite, et seulement ensuite, observer si une tendance commune, voire plusieurs procédés du même genre se faisaient jour, de façon manifeste, en les ouvrages obtenus. L'identique stratégie ? Elle est apparue avec la mise en cause d'une fondamentale machine représentative : le récit. Les tactiques voisines ? Elles se sont livrées, on le verra, suivant cinq types. Dès lors transformer ce compartiment pour l'actuel volume n'eût rencontré son motif d'être qu'avec l'une, au moins, de ces deux éventualités. Ou bien une séante contes-

---

1. Lucien Dällenbach, « Réflexion totale (Les Lieux-dits) », in *Le Récit spéculaire*, Éditions du Seuil, coll. « Poétique », Paris, 1977, p. 178-189, spécialement p. 189.

*tation des rapprochements. Mais il ne semble guère que la
critique, sans doute par indifférence à un travail de théorie
sur le crucial problème des groupes en littérature, ait beaucoup songé à redire. Ou bien une postérieure transformation
de l'objet : soit un significatif abandon de la stratégie
commune, soit, au contraire, un afflux partagé d'inédites tactiques. Mais, s'agissant de la perspective, et malgré l'esprit
des années récentes, propice aux palinodies, aucun des romanciers n'a fait de tardive allégeance à des formes qu'il avait
jadis estimé obsolètes, car les éléments autobiographiques,
s'ils en sont venus à tenir chez plusieurs certaine place accrue,
c'est sur le mode, en général, moins d'un sujet à traiter
comme tel, que, fût-il singulier, d'un matériau choisi par des
structures. Et, s'agissant des façons, du moins si l'on excepte
quelques issues, trop minoritaires dans ledit ensemble pour
qu'on les puisse dire significativement communes[1], la plupart ont continué de recourir à celles qui leur étaient fami-
lières, ou à retenir de proches virtualités auparavant
entrevues.*

*Toutefois, il faut en convenir, l'argumentaire qui précède
a fait l'impasse sur un cas : la possible éclosion, ces dernières années, sur les versants de la théorie, d'une méthode plus
exacte. Or il paraît bien, avec la récente discipline intitulée*
textique, *que s'offre désormais une batterie d'instruments
moins sommaires[2]. Du coup, sous cet angle neuf, le Nouveau Roman pourrait être mieux éclairé dans sa perspective
(il prendrait place au cœur d'une intelligibilité plus ample,
celle de la* métareprésentation*). Mais il pourrait également
se voir saisi avec une rigueur accrue en ses procédés (nombre de ses agencements deviendraient l'objet d'analyses plus
cohérentes : ainsi, ce qui, au chapitre quatre, sera nommé*
transits analogiques *relèverait, à en croire les texticiens[3], de
la catégorie des...* parachorodicranotextures isologiques*).*

Nulle peine à comprendre, dès lors, pourquoi, malgré ses

1. C'est pourquoi il faut laisser à l'amateur le soin de les découvrir
par lui-même au fil des ouvrages.
2. Prévenu qu'il s'agit de pages plus techniques, le lecteur intéressé
pourra ouvrir «Éléments de textique» I, II, III, IV et sq., *in Consé-*
quences, n°s 10, 11, 12, 13 et sq. (93, quai de Valmy, 75010 Paris),
1987, 1988, 1989 et sq.
3. «Éléments de textique (III)», art. cit., p. 5-7.

*probables mérites, j'ai refusé les secours, ici, de cette vue nou-
velle. D'une part, elle eût appelé un volume de tout autre
importance. D'autre part, et surtout, elle eût introduit une
technicité fort supérieure à celle qu'utilisait le présent livre,
destiné à un large public.*

★

*Le troisième lieu des métamorphoses est, bien sûr, avec
ses huit sections, la bibliographie commentée par les nouveaux romanciers eux-mêmes.*

*En effet, si, au long des années dernières, les œuvres du Nou-
veau Roman n'ont pas subi, dans l'ensemble, un radical changement qualitatif, elles ont enregistré, avec la divulgation de
plusieurs autres livres, un changement quantitatif perceptible.*

*Il a donc fallu revoir la mise à jour accomplie en 1978,
déjà, lors du troisième tirage : pour les parutions antérieu-
res à cette date, j'ai adjoint, çà et là, un commentaire plus
fourni ; pour les publications ultérieures, je me suis efforcé,
autant que possible, d'obtenir un propos d'escorte.*

*Que la circonstance me permette de préciser, avec sa
minime évolution, le critère qui a guidé mes choix. Dans les
extraits offerts d'abord, je n'avais pas résolument cherché
ceux qui corroboraient mes avis. Dans les nouveaux fragments de l'édition présente, je n'ai point banni ceux qui diver-
geaient. Le pourquoi en est simple : il m'est apparu, avec le
recul, qu'un ouvrage si soucieux de mettre en lumière certaines préoccupations communes devait, au titre heureux d'un
contrepoint, savoir mieux accueillir la trace des écarts.*

*Le lecteur n'aura donc aucun bénéfice à quérir par prin-
cipe un épaulement, ni à mes propos dans les avis des autres
nouveaux romanciers, ni à leurs opinions dans le corps de
mes analyses.*

★

*Enfin, j'ai estimé utile d'accroître cette nouvelle édition
avec une étude complémentaire [1], « Les raisons de l'ensemble », avec les motifs que voici.*

---

1. *Conséquences*, n° 5, Paris, 1985, p. 62-77.

Le scrupule de traiter en rigueur, sur un exemple d'aujourd'hui, le phénomène des ensembles d'écrivains pouvait induire deux répercussions.

L'une, du côté de la critique, était plutôt souhaitable : sur maint registre, elle a manqué. Je ne sache point trop, en cas d'erreur qu'on me détrompe, que, depuis, la recherche ait beaucoup développé la méthodologie afférente à un problème si peu mineur, ni la presse, franche consommatrice de groupements, beaucoup changé ses hâtives manières.

J'ai donc saisi l'occurrence, sur laquelle je vais dire un mot, d'une polémique ouverte sur le tard à mon endroit pour émettre, quitte à heurter les adeptes du flou, quelques propositions strictes.

L'autre, du côté des romanciers, était plutôt à craindre : avec l'un d'eux, elle est venue. C'est qu'innover en matière de littérature ne suffit point, hélas, pour être pur, sitôt, de l'exigu comportement des « gendelettres ». Or, il est facile de noter en quoi le souci d'établir avec scrupule un pareil ensemble peut infliger ombrage à qui s'y trouve inclus. En effet, recevoir un écrivain dans un pluriel ainsi construit, oblige, sur le champ, au profit d'une intelligibilité peut-être, à l'appauvrir d'un privilège sempiternel. Car, dorénavant, les siennes particularités se donneront à comprendre selon les lucides vertus de la différence *(tirer au clair de communes procédures, c'est établir la chance de cerner en quoi leur mise en œuvre, par un tel, se distingue, le cas échéant, de celle requise par quelque autre), et non plus suivant les obscurs offices de l'*originalité *(rapporter des façons d'écrire à la singularité du plumitif, c'est tendanciellement substituer, à la possible analyse comparative d'objets tangibles, la vague amusoire, toujours recommencée, des diverses psychologies de salon). Bref, avec le jeu de l'ensemble, la curiosité s'applique, d'abord, avant toute différenciation, puisque l'écrivain est pensé comme un « scripteur », aux possibles fruits partagés de sa feuille, et non plus, puisqu'il cesse d'être un « auteur », à l'éventuelle abyssale instance de son ombilic.*

Qu'ainsi dispensateur de modestie, ce menu séisme remette en cause, à plusieurs égards, divers avantages assez goûtés dirait-on, le lecteur pourra en prendre aisément la mesure en se montrant attentif, au cours de la controverse qui désor-

mais termine le présent opuscule, à la nature des moyens de part et d'autre élus. On laisse à son intellect le soin spécial d'apercevoir où se faufilent les expédients, où se déploient les arguments.

(1989)

Le Nouveau Roman

1. Situation

1.1. Localisation

Mettre en jeu une formule qui désigne une collection d'écrivains, c'est sitôt rencontrer un problème de composition. S'agissant du Nouveau Roman, cette question, nullement minime, du choix et de ses critères, a été souvent négligée. Il est vrai que son importance varie avec le propos. Si l'on se borne à offrir une suite de monographies sur les écrivains retenus, la composition reste secondaire : l'oubli éventuel ou l'adjonction indue n'affectent pas les autres chapitres juxtaposés. La composition devient décisive, en revanche, avec le présent livre qui, refusant la poussière des singularités, se porte sur l'ensemble comme tel.

1.1.1. Difficultés de la composition

Que l'ensemble soit net ou flou, décider de sa composition comporte toujours des difficultés réelles. L'ensemble net est trop net. Groupe ou école (songeons au surréalisme), il se prétend une certaine homogénéité et la conforte par des manifestes, des revues, des recueils collectifs, quelquefois une façon de chef. La netteté des contours trahit alors d'autant mieux diverses vacillations inévitables. *Synchroniquement :* à un instant donné, tout groupe est fait de ses officiels et de ses officieux. Ces derniers, point toujours les moins actifs, ne doivent souvent leur écartement de tel document collectif qu'à une absence fortuite le jour de sa signature ou à un pen-

chant pour la discrétion. *Diachroniquement :* sur une période
donnée, il n'est pas rare qu'un ou plusieurs officiels cessent
de l'être, par exclusion ou bien départ, et que divers nouveaux viennent prendre place. *C'est à l'imprécision d'une
foule de listes officielles variées qu'on a bientôt affaire.*

L'ensemble flou est trop flou. Songeons au Nouveau
Roman : ce n'est pas un groupe sûr, ni une école certaine.
On ne lui connaît pas de chef, de collectif, de revue, de manifeste. L'imprécision de ses contours suscite alors des oscilla-
tions prévisibles : maints critiques se sont sentis en effet
autorisés par le vague des limites à considérer chaque fois
l'ensemble qui convenait le mieux à leurs desseins. *C'est à
l'imprécision d'une foule de listes officieuses variées qu'on
a bientôt affaire.*

Point d'orthodoxie confortable, donc, à laquelle on puisse
se soumettre. Si bien, en un sens, que les critiques étaient
condamnés aux libertés qu'ils ont prises. Cela les a conduits
hélas, très singulièrement, à mobiliser un cercle. Ne ren-
contrant nulle part de limites fermes, ils ont été contraints
d'établir la composition du Nouveau Roman à partir de leurs
propres idées sur… le Nouveau Roman. Bref, ils ont appuyé
ce qu'il fallait fonder sur ce qu'il fallait fonder.

1.1.2. L'intersection et ses difficultés

Pour fuir cette erreur, vive est alors la tentation de recourir à une procédure paradoxale : tirer un bénéfice unitaire
d'une variété si évidente. Pour différentes que soient toutes
ces listes, elles renferment sans doute des éléments communs.
N'est-ce point accéder au *noyau* lui-même que choisir, pour
établir la collection correcte, l'intersection des collections
variées ? Séduisante, cette méthode est un peu loin de la
voyante innocente qu'elle affecte. Prenons un exemple rudi-
mentaire. Soit une première liste du Nouveau Roman, celle
que proposait en 1958, dans son numéro 7-8, la revue *Esprit* :
Samuel Beckett, Michel Butor, Jean Cayrol, Marguerite
Duras, Jean Lagrolet, Robert Pinget, Alain Robbe-Grillet,
Nathalie Sarraute, Claude Simon, Kateb Yacine. Soit une
seconde liste, celle sur laquelle travaillait, en 1972, le livre

de Françoise Baqué, *Le Nouveau Roman* (Bordas) : Samuel Beckett, Michel Butor, Jean Cayrol, Claude Ollier, Robert Pinget, Alain Robbe-Grillet, Nathalie Sarraute, Claude Simon. La délimitation du prétendu noyau conduirait à soustraire Marguerite Duras, Jean Lagrolet, Claude Ollier, Kateb Yacine, donc à mettre en jeu deux ordres de directives. D'une part, on éliminerait divers écrivains parce qu'ils ont cessé, à la date de la dernière liste et jusqu'à nouvel ordre, de publier des romans (Lagrolet, Yacine), ou parce qu'ils n'avaient pas encore commencé à la date de la première (Ollier), c'est-à-dire, en toute rigueur, pour des raisons extérieures aux textes : ici, un simple critère *chronologique*. D'autre part, on en supprimerait non moins sur un pur critère *mécanique* (ainsi Duras, en l'occurrence, pour qui, puisqu'elle a publié dès longtemps et n'a point cessé, le critère chronologique ne joue pas) sans avoir à se préoccuper de la pertinence qui l'a fait inclure dans une liste et exclure d'une autre. Le supposé noyau authentique, dans la mesure où il provient de principes chronologiques et mécaniques exempts de pensée, relève donc moins de la véracité promise que, à coup sûr, d'un résidu arbitraire.

En outre, dans la mesure où elle admet par principe une manière d'égalité entre les listes et renvoie dos à dos brouillons polémistes et chercheurs rigoureux, l'intersection connaît une grave défaillance critique. Ou bien elle admet que la majorité des listes auxquelles elle a affaire peut être fantaisiste, et alors le grand nombre se trouve investi d'une singulière vertu salvatrice : celle d'obtenir une base solide (le contraire de ce qui est accumulé). Ou bien elle refuse l'idée que cette majorité puisse être fantaisiste, et alors elle opère la critique de l'autruche : celle qui fait confiance les yeux fermés. Si, poursuivant l'exemple sommaire, nous choisissions les écrivains obtenus par l'intersection des listes d'*Esprit* et de Françoise Baqué, nous nous fonderions, sans le savoir, sur deux entreprises honorables, certes, mais qui n'en comportent pas moins un curieux défaut : celui de recourir, déjà, implicitement, l'une et l'autre, à... l'intersection des listes. Nous prolongerions, donc, un refus critique commencé, admettant, à notre tour, sans examen de leurs critères, des listes dont certaines s'étaient établies en admettant déjà, sans examen de leurs critères, des listes dont certaines... En effet aussi bien *Esprit* que Françoise Baqué se recommandent déjà d'imprécises listes antécédentes. *Esprit* en accepte l'aptitude limitative : « D'autre part, une donnée de fait a provoqué — et limité — ce choix : il se trouve que chacun de ces dix auteurs est plus ou moins fréquemment cité à propos de ce que des critiques très divers, des journalistes souvent hâtifs ou approximatifs, ont appelé tantôt la *nouvelle école du roman*, tantôt le *nouveau réalisme*, ou bien encore l'*antiroman* » (p. 18). Et Françoise Baqué refuse cette limitation : « Un recul relatif permettait de voir que le ''Nouveau Roman'' ne se réduisait pas purement et simplement à ceux qui, sous cette étiquette, défrayaient la chronique mais que la plupart de ses caractéristiques se trouvaient également, de façon plus ou moins diffuse, chez la plupart des auteurs contemporains » (p. 6). Si la revue *Esprit* fait ainsi jouer un rôle sélectif aux listes et si Françoise Baqué le leur refuse, ce n'est aucunement pour les mettre en cause : c'est simplement que la première possédait un critère de choix trop diffus et qu'il lui en fallait un précis tandis que la seconde, en revanche, disposait d'un critère précis tout à fait suffisant. Le critère d'*Esprit* : « Tout d'abord pourquoi ces dix romanciers ? Il ressort des pages suivantes que chacun d'eux rompt, dans une mesure d'ailleurs variable, avec les formes traditionnelles du roman, cherche à renouveler le contenu et les moyens de la littérature romanesque » (p. 18), est diffus dans la mesure où bien d'autres romanciers correspondent à ces caractères, à commencer par Maurice Blanchot et Louis-René des Forêts qu'évoque précisément Olivier de Magny dans un article du même numéro. Le critère de Françoise Baqué : « Ce n'est pourtant pas tout à fait par hasard que les ''nouveaux romanciers'' proprement dits : Alain Robbe-Grillet, Nathalie Sarraute, Michel Butor, Claude Simon, Robert Pinget, Claude Ollier, précédés de Samuel Beckett, ont été — et pour plusieurs, sont encore — publiés chez le même éditeur (les Éditions de Minuit) et que, malgré toutes leurs divergences, leurs noms restent associés dans l'esprit du public », est précis, lui, dans la mesure où il recourt clairement à un catalogue d'éditeur. Mais, notons-le, un peu d'attention à son opuscule permet de voir que Françoise Baqué ne fait pas jouer pleinement ce critère : sa liste des auteurs étudiés ignore Marguerite Duras qui a publié divers livres chez l'éditeur indiqué et comporte en revanche Jean Cayrol, qui n'y en a fait paraître aucun.

Outre ses défauts critiques, l'intersection, dans la mesure où elle se fie au nombre, connaît une difficulté pratique. Ce qu'il lui faut, nous le savons, c'est considérer la plus grande quantité possible de listes. D'où le supplice, jamais clos, des recherches perpétuelles : laquelle, quelque part, m'a échappé ? Laquelle, en ce moment, est en train de s'écrire ? Renonçons-y.

1.1.3. L'extension et ses difficultés

Pour fuir les problèmes de la localisation étroite, vive est alors la tentation de recourir à une procédure inverse : pourquoi ne pas étendre la dénomination de Nouveau Roman à tout ce qui en quelque manière contient dans le roman contemporain, et par rapport au roman académique, des traces de nouveauté ? Ainsi, à des titres divers (nécessairement très divers) et mis à part, systématiquement, l'intérêt respectif des ouvrages, se proposaient vers 1973 :

Suzanne Allen (*Le Lieu commun* ; *L'Espace d'un livre*, Gallimard) ; Philippe Augier (*Les Objets trouvés*, Minuit) ; Alain Badiou (*Almagestes* ; *Portulans*, Seuil) ; Jean-Louis Baudry (*Personnes* ; *La « Création »*, Seuil) ; Samuel Beckett (*Murphy* ; *Watt* ; *Molloy* ; *Malone meurt* ; *L'Innommable* ; *Nouvelles et Textes pour rien* ; *Comment c'est* ; *Le Dépeupleur*, Minuit) ; Maurice Blanchot (*Thomas l'obscur* ; *Aminadab* ; *L'Arrêt de mort* ; *Le Très-Haut* ; *Celui qui ne m'accompagnait pas* ; *Le Dernier Homme* ; *L'Attente l'Oubli*, Gallimard) ; Philippe Boyer (*Mots d'ordre* ; *Non-lieu*, Seuil) ; Michel Butor ; Jean Cayrol (*On vous parle* ; *Les Corps étrangers* ; *Je l'entends encore* ; *Histoire d'une prairie*, Seuil) ; Pierre Caminade (*Le Don de merci*, Morel) ; Daniel Castelain (*Une rencontre improbable*, Minuit) ; Hélène Cixous (*Dedans* ; *Le Troisième Corps* ; *Les Commencements*, Grasset ; *Tombe*, Seuil) ; Jean-Marie Gustave Le Clézio (*Le Procès verbal* ; *La Fièvre* ; *Le Déluge* ; *Terra amata*, Gallimard) ; Didier Coste (*Le Voyage organisé*, Seuil) ; Marguerite Duras (*Moderato cantabile* ; *Détruire dit-elle*, Minuit ; *Dix heures et demie du soir en été* ; *Le Ravissement de Lol V. Stein* ; *Abahn, Sabena,*

David, Gallimard) ; Tony Duvert (*Récidive* ; *Le Voyageur* ; *Paysage de fantaisie*, Minuit) ; Jean Fremon (*Le Miroir, les Alouettes* ; *L'Origine des légendes*, Seuil) ; Louis-René des Forêts (*Le Bavard* ; *La Chambre des enfants*, Gallimard) ; Jean Pierre Faye (*Entre les rues* ; *La Cassure* ; *Battement* ; *Analogues* ; *L'Écluse* ; *Les Troyens*, Seuil) ; Lucette Finas (*L'Échec* ; *Le Meurtrion*, Seuil) ; Jean-Michel Gardair (*Le Corps de Louise* ; *& moi*, Minuit ; *La Ménopause de la reine*, Bourgois) ; Pierre Guyotat (*Tombeau pour cinq cent mille soldats* ; *Éden, Éden, Éden*, Gallimard) ; Jean-Edern Hallier (*Les Aventures d'une jeune fille*, Seuil) ; Jacques Henric (*Archées*, Seuil) ; Ludovic Janvier (*La Baigneuse*, Gallimard) ; Raymond Jean (*Les Ruines de New York* ; *La Conférence* ; *Les Grilles* ; *Le Village*, Albin Michel ; *Les Deux Printemps* ; *La Ligne 12*, Seuil) ; Jean Lagrolet (*Les Vainqueurs du jaloux*, Gallimard) ; Roger Laporte (*La Veille* ; *Une voix de fin silence* ; *Une voix de fin silence, II* ; *Pourquoi ?* ; *Fugue* ; *Supplément*, Gallimard) ; Georges Londeix (*L'Adoration des mages* ; *L'Inondation* ; *Football*, Albin Michel) ; Claude Mauriac (*Le Dîner en ville* ; *La Marquise sortit à cinq heures* ; *L'Agrandissement*, Albin Michel) ; Jean-Pierre Milovanoff (*La Fête interrompue*, Minuit) ; Christian Nègre (*L'Absent*, Minuit) ; Claude Ollier ; Louis Palomb (*Correspondance* ; *Réflexions*, Minuit) ; Georges Perec (*Les Choses* ; *La Disparition*, Denoël) ; André Pieyre de Mandiargues (*La Motocyclette* ; *Porte dévergondée* ; *Mascarets*, Gallimard) ; Robert Pinget ; Raphaël Pividal (*Tentative de visite à une base étrangère*, Denoël) ; Raymond Queneau (*Le Chiendent* ; *Pierrot mon ami* ; *Loin de Rueil* ; *Les Fleurs bleues*, Gallimard) ; Jean Ricardou ; Alain Robbe-Grillet ; Maurice Roche (*Compact* ; *Circus* ; *Codex*, Seuil) ; Dominique Rolin (*Le Corps* ; *Les Éclairs*, Denoël) ; Pierre Rottenberg (*Le Livre partagé*, Seuil) ; Marc Saporta (*La Quête* ; *Composition n° 1*, Seuil) ; Nathalie Sarraute ; Marcel Seguier (*Le Noyer d'Amérique*, Fayard) ; Jorge Semprun (*La Seconde Mort de Ramon Mercader*, Gallimard) ; Claude Simon ; Philippe Sollers (*Le Parc* ; *Drame* ; *Nombres*, Seuil) ; Pierre Sylvain (*La Dame d'Elché* ; *La Fenêtre* ; *Zacharie Blue* ; *La Promenade en barque*, Mercure de France) ; Bernard Teyssèdre (*Foi de Fol*, Gallimard) ; Jean Thibaudeau (*Une cérémonie royale*, Minuit ; *Ouverture* ; *Imaginez la nuit*, Seuil) ; Monique Wittig (*L'Opoponax* ; *Les Guérillères* ; *Le Corps lesbien*, Minuit) ; Kateb Yacine (*Nedjma*, Seuil).

Or, si peu qu'on y réfléchisse, cet ensemble est trop réduit : il y a vraiment excès d'absences. Absences contingentes : quand on travaille une si vaste liste de textes, il devient probable d'en omettre, par distraction, un ou plusieurs qu'on croyait devoir y figurer. Absences inévitables : quand on travaille une si vaste liste de textes, les traces de nouveauté ont tendance à devenir si diverses et ténues qu'il est de plus en plus difficile de refuser une place à nombre d'autres livres. Plus cette liste s'accroîtra, plus il faudra l'accroître. Du Charybde de la localisation étroite, nous voici au Scylla de l'extension infinie.

1.1.4. Autodétermination

Bref, les difficultés se multiplient quand il s'agit d'une détermination *extérieure*, à partir soit d'une série de déterminations *intérieures discordantes* (le surréalisme et ses diverses manifestations collectives signées), soit d'une série de déterminations *extérieures discordantes* (le Nouveau Roman et les diverses études globales qui lui ont été consacrées). En d'autres termes, il y aurait grand avantage à pouvoir travailler sur une série de déterminations *intérieures concordantes*. Avec le Nouveau Roman, il semble que nous en soyons doublement écartés. Mais c'est que, dans la mise en place du problème, nous n'avons pas tenu compte d'un événement majeur, historique en quelque sorte, sous cet angle, le seul travail collectif d'envergure reconnu, le célèbre colloque *Nouveau Roman : hier, aujourd'hui* réuni en juillet 1971 à Cerisyla-Salle. Outre les travaux qui ont pu s'y accomplir, ce colloque, en le simple fait de sa tenue, a permis, dès cette date, une indiscutable détermination *intérieure* du Nouveau Roman : par les romanciers eux-mêmes. D'une part : le colloque ayant été largement annoncé, il ne s'est trouvé aucun autre écrivain que ceux qui y participèrent pour solliciter d'y venir travailler. Davantage, Samuel Beckett et Marguerite Duras ont décliné l'invitation qui leur avait été faite. D'autre part : les écrivains favorables ont tous accepté de travailler sans exiger parmi eux la présence de tel ou tel autre, ni suggérer le départ d'aucun d'entre eux. A partir d'une hypothèse des organisateurs, les écrivains eux-mêmes ont fait le départ entre ceux qui ne se sont pas sentis impliqués, et ceux qui, s'agissant de Nouveau Roman, s'y sont estimés en nécessaire et suffisante compagnie. C'est cette autodétermination uni-

que et récente que nous nous proposons de suivre désormais.
Elle met en jeu les écrivains suivants : Michel Butor, Claude
Ollier, Robert Pinget, Jean Ricardou, Alain Robbe-Grillet,
Nathalie Sarraute, Claude Simon.

1.1.5. L'illusion de club

Pour rigoureusement qu'on ait tenté de le construire, ce
corpus soulève une première question. L'autorité évidente
dont bénéficie la cooptation réciproque sur laquelle nous nous
appuyons, en ce qu'elle est à la fois multiple et interne, présente un revers : elle pourrait conduire à une sorte d'*illusion
de club*. Un effet, comme magique, d'appartenance risque-
rait d'attribuer à chaque Nouveau Romancier, pris séparément, un irréductible statut par rapport aux autres romanciers
actuels. Le danger d'un tel leurre, aristocratique, en quelque
sorte, menacerait sans doute, si nous n'avions pris soin, en
commençant, de refuser d'offrir divers chapitres consacrés
chacun à chaque écrivain choisi. Loin de proposer un groupe
d'écrivains que l'on étudierait ensuite séparément, notre corpus doit permettre *le repérage de certains problèmes collectifs*. Nous ne doutons guère que plusieurs de ces questions
communes n'aient été mises en jeu, à leur façon, par bien
d'autres auteurs. Nous imaginons aussi que tel d'entre ces
derniers puisse avoir traité les divers aspects que nous aurons
fait paraître. Alors, dira-t-on, pourquoi ne pas l'inclure, celui-
là au moins, le cas échéant, dans le Nouveau Roman ? Pour
une raison assez claire : s'il n'y a là nul inconvénient majeur,
il n'y a guère non plus d'intérêt flagrant. Sauf à satisfaire
un goût excessif pour les étiquettes, à quoi bon inclure, après
coup, un auteur en raison de sa concordance avec tel ensemble constitué, puisque, par hypothèse, il ne pourra guère y
apporter de sérieuses métamorphoses ? Ces soucis ne sauraient être nôtres. Nous n'avons nullement en vue la distribution de quelconques insignes. Il s'agit plutôt, à partir du
travail lisible dans une collectivité définie, aux textes de
laquelle on facilitera l'accès, d'esquisser certaines des métamorphoses qui affectent plus qu'un peu la littérature romanesque, aujourd'hui.

1.1.6. Une prise de parti

L'autre question vient de la présence, en ce corpus, de celui même qui en entreprend ici l'étude. Après s'être efforcé à quelque rigueur, va-t-il soudain falloir l'abandonner ? Les prétextes abondent. Il y a la convenance : n'est-il pas incongru de parler de ses proches ou de soi-même autrement que par effusion biographique ou romanesque ? Il y a les craintes techniques : telle situation ne risque-t-elle pas de conduire vers une prétention à l'orthodoxie ou à un penchant pour le subjectivisme ? Sous couvert de convenance et de craintes techniques, on voit donc ce qui manœuvre ici : une idéologie bien précise ; celle, dominante, de l'Expression. Pour la faire succinctement paraître, nous observerons le *paradoxe de l'interview*. Selon l'idéologie régnante, l'écrivain est le sujet propriétaire d'un sens que son texte a pour charge d'exprimer. C'est pourquoi les interviews traditionnelles consistent à demander non pas « Comment avez-vous travaillé ? » mais plutôt, sous diverses formes, sempiternellement, « Qu'avez-vous souhaité dire ? ». Bref, à prier l'écrivain, en donnant l'opinion droite, de *fixer* le sens de son œuvre. Mais cette posture comporte une difficulté interne : comment ce sujet propriétaire pourrait-il parler, sans erreur subjective, de cette propriété qui n'est autre que lui-même ? D'où une ambiguïté plus ou moins masquée. Dans les interviews traditionnelles, le bonheur des certitudes orthodoxes se trouve tout imprégné d'une inquiétude : celle des erreurs de la subjectivité. Chargé d'en fixer l'orthodoxie, l'écrivain est aussi celui qui ne saurait parler juste de son œuvre. Or, loin de ce mythique personnage, tout-puissant d'un côté (et qui projetterait sur la feuille, avec un bonheur inégal, tel sens dont il aurait la propriété), très incertain de l'autre (en ce qu'il ne saurait détenir l'exacte vue de soi), l'écrivain est peut-être celui qui, par l'écriture, se lie si étrangement au langage qu'il se trouve aussitôt immensément démuni et de soi et du sens. Par cette expropriation immédiate, l'*expérience même de l'écriture*, ce n'est plus en position maîtresse qu'il se trouve engagé. Bien qu'il le concerne, son texte lui apparaît comme une bizarre-

rie : *autre chose que simplement issu de soi.* Et lui-même s'y
découvre comme une excentricité : *non au centre mais aux
frontières.* Moins une cause qu'un résultat. Quand il est écrit,
le langage n'est pas un instrument qui lui permet de commu-
niquer plus ou moins bien tel sens antécédent, c'est une étrangeté qui le divise, l'évide, le transforme. Il peut se lire, se
relire : tel texte, irrécusablement de lui, c'est aussi, d'une certaine façon, comme s'il avait été écrit par quelque autre. Et
c'est comme tel qu'il peut l'étudier, de la même façon qu'il
peut lire les textes des autres : avec détachement et intérêt,
sans craindre nulle incurable déficience, sans prétendre à nul
privilège exorbitant. Ainsi ferons-nous, et non seulement
parce que cela semble possible et que le problème de ce livre
nous y conduit, mais parce que nous croyons l'entreprise
nécessaire. Contre la séparation de la pratique et de la théorie que l'idéologie régnante encourage, voire institutionna-
lise, notre geste est une prise de parti : tout écrivain nous
semble devoir se risquer à la théorie et y impliquer ses textes, tout théoricien nous semble devoir se risquer à la littérature et y confronter ses études.

1.2. Insertion

Pour situer le Nouveau Roman, il ne suffit pas d'en localiser les composants : il faut aussi observer la position de cet ensemble par rapport aux principales instances détentrices de la diffusion culturelle aujourd'hui : édition, prix littéraires, journaux, Université.

1.2.1. Par la petite porte

Réparties selon les éditeurs jusqu'à 1973 (tableau 1), les principales fictions du Nouveau Roman, romans et nouvelles, permettent de l'apercevoir : le Nouveau Roman ne s'est pas fait connaître en passant par les grandes portes de l'édition. La plupart des premiers ouvrages ont paru dans des maisons de taille plutôt secondaire : Pinget à La Tour de feu, Nathalie Sarraute chez Robert Marin, Simon au Sagittaire, Butor et Robbe-Grillet aux Éditions de Minuit. Or, nul ne l'ignore, les écrivains débutants sollicitent d'abord, en général, les éditeurs les plus connus. Tout porte à croire, donc, que plusieurs des nouveaux romans n'ont atteint ces éditeurs qu'après avoir été refusés par de plus notoires. Si le fait nous semble digne d'intérêt, ce n'est certes pas pour exercer la facile ironie rétrospective (après coup, il est toujours commode d'aiguiser le tranchant des moqueries : sur tel premier livre, le déploiement ultérieur des ouvrages à venir ne s'impose pas forcément). C'est qu'il permet de saisir à quel point, dans

ÉDITEURS ▶ ▼ TITRES	Calmann-Lévy	Denoël	Gallimard	Laffont	Marin	Minuit	Sagittaire	Tour de feu
MICHEL BUTOR								
Passage de Milan						1954		
L'Emploi du temps						1956		
La Modification						1957		
Degrés			1960					
CLAUDE OLLIER								
La Mise en scène						1958		
Le Maintien de l'ordre			1961					
Été indien						1963		
L'Échec de Nolan			1967					
Navettes			1967					
La Vie sur Epsilon			1972					
ROBERT PINGET								
Entre Fantoine et Agapa						repris		1951
Mahu ou le Matériau					1952	repris		
Le Renard et la Boussole			1953			repris		
Graal Flibuste						1956		
Le Fiston						1959		
Clope au dossier						1961		
L'inquisitoire						1962		
Quelqu'un						1965		
Le Libera						1969		
Passacaille						1969		
Fable						1971		
JEAN RICARDOU								
L'Observatoire de Cannes						1961		
La Prise de Constantinople						1965		
Les Lieux-dits			1969					
Révolutions minuscules			1971					
ALAIN ROBBE-GRILLET								
Les Gommes						1953		
Le Voyeur						1955		
La Jalousie						1957		
Dans le labyrinthe						1959		
Instantanés						1962		
La Maison de rendez-vous						1965		
Projet pour une révolution à New York						1970		
NATHALIE SARRAUTE								
Tropismes		1939				repris		
Portrait d'un inconnu			repris 1953		1947			
Martereau			1953					
Le Planétarium			1959					
Les Fruits d'or			1963					
Entre la vie et la mort			1968					
Vous les entendez ?			1972					
CLAUDE SIMON								
Le Tricheur						repris	1945	
Gulliver	1952							
Le Sacre du printemps	1954							
Le Vent						1957		
L'Herbe						1958		
La Route des Flandres						1960		
Le Palace						1962		
Histoire						1967		
La Bataille de Pharsale						1969		
Les Corps conducteurs						1971		
Triptyque						1973		

la mesure où ils offraient d'évidentes qualités minimales, ces livres rompaient avec ce que les éditeurs renommés considéraient comme la littérature, vers ces époques. Ensuite s'est accomplie une double convergence : assez vite les Nouveaux Romans se rassemblent chez deux éditeurs, Minuit et Gallimard. Dans l'histoire du Nouveau Roman, les Éditions de Minuit tiennent en effet, selon deux phases, un rôle majeur. *Sauvetage :* d'abord, elles ont sauvé ces textes dont la publication se montrait au début irrécusablement problématique. Il faut ici souligner l'action décisive de l'éditeur, Jérôme Lindon, et de son conseiller littéraire à cette époque, Georges Lambrichs. *Appel :* puis, consacrées par le succès d'estime, et parfois de public, que ces livres nouveaux avaient rencontré, les Éditions de Minuit ont largement persisté dans la même politique, sous le conseil littéraire, depuis 1954, d'Alain Robbe-Grillet, en publiant plusieurs des recherches nouvelles qu'elles recevaient, désormais, presque directement. Au sauvetage a succédé ainsi un véritable appel de textes, sensible à partir de 1957 avec, pour ce qui concerne notre corpus, la venue de Claude Simon, Claude Ollier et moi-même. Quant aux Éditions Gallimard, elles sont connues, on le sait, pour le soin qu'elles mettent, depuis un demi-siècle, à constituer un fonds particulièrement solide. L'accueil favorable qu'elles ont réservé, ensuite, à plusieurs nouveaux romanciers venus des Éditions de Minuit (Butor, Ollier, moi-même) peut se lire à ce niveau, après des commencements difficiles, comme le signe, pour le Nouveau Roman, disons dans les années soixante, d'une certaine percée dont on va s'efforcer de préciser les caractères.

1.2.2. Des prix espacés

L'attribution d'un prix littéraire dépend d'un ensemble de facteurs trop disparates pour qu'on puisse en tirer des conclusions autres que relatives. Il n'est pas indifférent, toutefois, de classer sommairement les prix selon leur audience, et d'observer lesquels ont tenu compte des ouvrages du Nouveau Roman (tableau 2).

Tableau 1

1	**Goncourt**	*néant*
2	**Renaudot**	*La Modification* (1957), de M. Butor
3	**Femina**	*Quelqu'un* (1965), de R. Pinget
4	**Médicis**	*La Mise en scène* (1958), de C. Ollier *Histoire* (1967), de C. Simon
5	**de l'Académie française**	*néant*
6	**des Critiques**	*Le Voyeur* (1955), d'A. Robbe-Grillet *L'Inquisitoire* (1963), de R. Pinget
7	**de L'Express**	*La Route des Flandres* (1960), de C. Simon
8	**Fénéon**	*Les Gommes* (1954), d'A. Robbe-Grillet *L'Emploi du temps* (1957), de M. Butor *La Prise de Constantinople* (1966), de J. Ricardou

Tableau 2

En effet l'on aperçoit sans peine que deux d'entre eux, et non des moindres, ont ignoré systématiquement les Nouveaux Romanciers, tandis que les autres semblent assez loin d'avoir montré une attention persistante à leur égard. Davantage : si, par suite d'un concours de circonstances opportun, l'un de ces prix a été attribué à un Nouveau Roman, ce couronnement a été généralement reçu, par de nombreux lecteurs et journalistes, comme une certaine anomalie. Ainsi, tel écrivain couronné a-t-il été le plus souvent très loin d'obtenir, avec son livre suivant, une part raisonnable des lecteurs que lui avait acquis le prix précédemment décerné. *La Jalousie*, d'Alain Robbe-Grillet, en propose un exemple impressionnant. Tandis que *Le Voyeur*, en 1955, avec le prix des Critiques, atteignait un bon nombre de lecteurs, *La Jalousie*, deux ans plus tard, n'était vendue pendant les premiers mois qu'à quelques centaines d'exemplaires. C'est un autre public, peu à peu, que ce livre s'est construit.

Le prix Fénéon permet ici une contre-épreuve. Il est le seul à avoir adopté une attitude résolument positive à l'égard du Nouveau Roman. Plus nettement que ne le laisse voir le tableau : réservé aux écrivains de moins de trente-cinq ans, il ne pouvait atteindre, statutairement, ceux des Nouveaux Romanciers qui se sont fait connaître un peu plus tardivement. Or, en dépit de la notoriété de certains parmi ses animateurs (Louis Aragon et Jean Paulhan, par exemple), le prix Fénéon n'a jamais touché le vaste public habituel des prix littéraires. Loin donc d'avoir été adopté par cette instance idéologique majeure, les prix littéraires, le Nouveau Roman, à la suite de conjonctures favorables, y a seulement opéré des percées locales, sporadiques, sans véritable signification.

1.2.3. Un soutien localisable

Décrire l'accueil du Nouveau Roman par les journaux est également une entreprise malaisée. Les difficultés viennent de ce que les pages littéraires bénéficient souvent d'une lisible autonomie. Certaines publications, qui déterminent assez rigoureusement leur perspective politique, semblent se plaire à n'afficher point de posture trop précise en ce qui concerne la littérature. Souvent une responsabilité considérable est ainsi concédée à des personnalités diverses, parfois pour le meilleur, parfois pour le moins bon. Cependant, et en tenant compte, de part et d'autre, d'exceptions nullement négligeables, il est possible d'entrevoir une sorte de partage politique dans l'accueil contradictoire fait au Nouveau Roman. Divers journaux, qui n'étaient pas de gauche, *Arts-Spectacles*, par exemple, ou *Le Figaro littéraire*, ont adopté plutôt des attitudes polémiques. C'est en ces feuilles qu'on a pu lire des prophéties annonçant le déclin, voire la disparition du Nouveau Roman. Mais ces périodiques, on le sait à présent, parlaient sans le savoir surtout d'eux-mêmes : ils ont décliné, puis un jour disparu. Divers journaux, qui n'étaient pas de droite, *L'Express*, *France-Observateur*, *Le Monde*, lui ont plutôt apporté leur soutien. C'est dans les deux premiers, par exemple, qu'Alain Robbe-Grillet a été en mesure de proférer, par des séries d'articles, maintes critiques retentissantes à l'égard des conceptions traditionnelles du roman. Ultérieurement, c'est dans l'autre qu'on a pu découvrir d'opportunes doubles pages sur les Nouveaux Romanciers les mieux reconnus.

Sans se risquer aux conclusions trop abruptes, force nous est cependant d'admettre qu'une certaine mise en cause de la littérature traditionnelle et une certaine mise en cause de telle politique ouvertement réactionnaire se sont senties, à une époque donnée, dans un rapport de concordance. Nous corroborerons cette remarque d'une précision : comme *L'Express*, *France-Observateur* et *Le Monde*, les Éditions de Minuit, dont on a vu le rôle dans l'éclosion et la diffusion du Nouveau Roman, se sont trouvées, avec les ouvrages politiques simultanément rendus publics, et par exemple *La Question* d'Henri Alleg, prendre le parti le plus net contre la guerre coloniale d'Algérie.

1.2.4. La muraille du posthume

Au moins jusqu'à ces dernières années, l'Université française, dans le choix des textes dont elle consentait à entreprendre l'étude approfondie, obéissait à la plus impitoyable des prudences. Aucun doctorat d'État n'était accepté, sur telle œuvre particulière, si l'écrivain étudié n'avait au préalable pris soin d'accomplir une formalité indispensable : mourir. Nul doute que maint universitaire se soit ainsi trouvé l'objet d'une curieuse passion douloureuse : celle, en l'espoir de présenter enfin tel important sujet de thèse, de surveiller infiniment, sur le visage de l'écrivain admiré, l'accumulation prometteuse des fatigues de l'âge, ou, préférable, le brutal afflux des symptômes de la maladie. Si quelque ironie ne se peut ici retenir, c'est que, longtemps en vigueur, cette disposition était, un peu trop systématiquement, une machine à refuser le contemporain. Nous n'ignorons pas que cette procédure s'appuyait sur un souci double : d'un côté ne pas laisser un chercheur s'engager dans une direction que tel ouvrage à venir, l'écrivain étant en vie, pourrait abandonner, voire renier ; de l'autre, puisque cette recherche peut recourir à des documents biographiques, éviter de mettre dans l'embarras tel proche encore vivant. Ainsi cette double prudence permettait-elle le maintien de l'idéologie sur laquelle elle prenait appui. On en distingue deux aspects. D'une part, *l'œuvre* comme entité primordiale en ce qu'elle équivaut à l'unité d'une personne : l'auteur. D'autre part, *l'expression* qui, dans la mesure où l'auteur est censé s'exprimer en son œuvre, conduit le critique, pour éclairer cette œuvre, à en passer foncièrement par maints détails biographiques. Tout empreinte d'idées reçues, cette prudence méthodologique, par une espèce de stratégie de la muraille, a amplement découragé, dans l'ensemble, l'Université française d'étudier, dès leur venue, les problèmes du Nouveau Roman. Passer au texte, fût-ce, s'il le faut, au prix d'une révision déchirante, permettra peut-être d'évincer bien des questions illusoires à propos de l'auteur et de l'œuvre, et ouvrira la lecture à autre chose que ces ouvrages dont l'encre était sèche, déjà, avant-hier.

1.2.5. Une réticence persistante

Qu'il s'agisse donc de l'édition, des prix littéraires, des journaux, de l'Université, le Nouveau Roman a certes réussi à inscrire certaines marques de sa présence. Mais l'accueil que lui ont globalement réservé les instances culturelles n'est pas trop loin d'*une réception à contrecœur*. Davantage : il semble qu'une nouvelle procédure, à un moment, ait été imaginée pour le mettre à l'écart. Aux incantations prophétiques qui annonçaient autrefois sa disparition imminente, ont fait suite des tentatives d'un autre genre : c'est de n'être plus si nouveau qu'on s'est pris à l'accuser, et de verser dans une façon d'académisme. L'on peut en tenir pour exemple la brève dépréciation anonyme, excessive dans sa suffisance et son insuffisance, dont l'hebdomadaire *Le Nouvel Observateur* a cru devoir se contenter, en 1972, pour tout compte rendu des 884 pages de *Nouveau Roman : hier, aujourd'hui*, le colloque de Cerisy qui venait de paraître.

Vis-à-vis du Nouveau Roman, il y a donc réticence persistante : certains naïfs l'arborent en s'appuyant sur le pas-

séisme ; divers retors la déguisent au nom, supposons-le, de
quelque nouveauté pressentie. En tout cas, elle ne saurait surprendre. Selon toutes sortes de procédures, le Nouveau
Roman met en cause, en effet, avec une virulence quasiment
croissante au fil des livres, un phénomène d'envergure, fran-
chement ou insidieusement actif dans la plupart des institutions humaines, et peut-être l'objet d'une manière de tabou :
le RÉCIT.

2. Le récit en procès

2.1. Définitions

2.1.1. Trois sens de « récit »

Dans son excellent *Discours du récit* (*Figures III*, Seuil, p. 71 et 72), Gérard Genette distingue trois sens du mot « récit ». Dans le premier, il s'agit d'un *discours* : « *Récit* désigne l'énoncé narratif, le discours oral ou écrit qui assume la relation d'un événement ou d'une série d'événements : ainsi appellera-t-on *récit d'Ulysse* le discours tenu par le héros devant les Phéaciens aux chants IX à XII de l'*Odyssée*. » Dans le deuxième sens, il s'agit d'*événements* : « *Récit* désigne la succession d'événements réels ou fictifs qui font l'objet de ce discours, et leurs diverses relations d'enchaînement, d'opposition, de répétition, etc. *Analyse du récit* signifie alors étude d'un ensemble d'actions et de situations considérées en elles-mêmes, abstraction faite du médium, linguistique ou autre, qui nous en donne connaissance : soit ici les aventures vécues par Ulysse depuis la chute de Troie jusqu'à son arrivée chez Calypso. » Dans le troisième sens, il s'agit d'un *discours comme événement* : « *Récit* désigne encore un événement : non plus toutefois celui que l'on raconte mais celui qui consiste en ce que quelqu'un raconte quelque chose : l'acte de narrer pris en lui-même. On dira ainsi que les chants IX à XII de l'*Odyssée* sont consacrés au récit d'Ulysse, comme on dit que le chant XXII est consacré au massacre des prétendants : raconter ses aventures est une action tout comme massacrer les prétendants de sa femme. »

2.1.2. La fiction

C'est au premier sens que Genette propose de donner le nom de récit, et nous ferons de même. Comparons sa définition à celle que propose Tzvetan Todorov dans le *Dictionnaire encyclopédique des sciences du langage* (Seuil, p. 378) : « Le récit est un texte référentiel avec temporalité représentée » où *référent* doit s'entendre comme « une réalité extralinguistique », un *univers* réel ou imaginaire (*id.*, p. 317). Ce qui frappe aussitôt, au-delà des apparentes différences de lexique, c'est un accord sur le double aspect du récit. D'une part, le récit est un discours ou un texte ; d'autre part, il concerne des événements ou un univers. Nous voudrions cependant apporter une précision. La pomme peinte par Cézanne n'est pas seule matière picturale déposée par le peintre sur la toile ni davantage telle pomme, réelle ou imaginaire. Elle est l'*effet* de l'agencement pictural *en référence* à telle pomme, dite réelle ou imaginaire. De même, et toute proportion gardée, l'événement narré n'est pas seule succession des mots alignés par l'écrivain sur la feuille, ni davantage l'événement, dit réel ou imaginaire, auquel il s'est référé en écrivant. Il est l'*effet* de l'agencement scriptural *en référence* à tel événement, dit réel ou imaginaire : ce que nous appellerons une *fiction*.

2.1.3. Une entité paradoxale

Il s'ensuit que la fiction a un statut paradoxal. Sa configuration provient en effet, selon des modalités distinctes, de l'action de grandeurs incommensurables : le littéral, le référent. Reprenons ici, sur un autre exemple et en l'abrégeant, notre démonstration proposée dans « *De natura* fiction*is* » (*Pour une théorie du Nouveau Roman*). Soit une jeune fille qui vient d'entrer. Selon la dimension référentielle, ses aspects visibles sont *simultanés* ; selon la dimension littérale, ses aspects visibles sont nécessairement *successifs* : « Une jeune fille venait d'entrer. Sous un voile bleuâtre lui cachant la poitrine et la tête, on distinguait les arcs de ses yeux, les calcédoines de ses oreilles, la blancheur de sa peau. Un carré de soie gorge-de-pigeon, en couvrant les épaules, tenait aux reins par une ceinture d'orfèvrerie. Ses caleçons noirs étaient semés de mandragores, et d'une manière indolente elle faisait claquer de petites pantoufles en duvet de colibri. » Ainsi, dans *Hérodias*, la silhouette vêtue de Salomé est-elle *à la fois immédiatement offerte et peu à peu révélée*, de haut en bas, selon cette « découverte par degrés » dont parle Léonard de Vinci à propos de la description et qu'on pourrait nommer le *strip-tease scriptural*. Ici commence alors un domaine passionnant et méconnu : celui, éminemment paradoxal, de l'*inénarrable*. Ce strip-tease irrécusable est, en effet, à la lettre, impossible à raconter : la jeune fille est restée vêtue. Il a eu lieu et n'a pas eu lieu. Qu'il hante le récit, nous en tenons, si besoin est, pour preuve, la phrase que Flaubert ajoute aussitôt : « Sur le haut de l'estrade, elle retira son voile. » Le strip-tease inénarrable a produit son inverse : un strip-tease dont il est possible d'assurer la narration.

2.1.4. La trajectoire folle

Davantage. Non seulement les dimensions littérale et référentielle sont des incommensurables, mais encore, à supposer, pour des raisons schématiques, qu'elles puissent avoir commune mesure, elles sont des inverses proportionnels :

$$Dl = \frac{1}{Dr}$$

En effet, l'attention du lecteur ne peut percevoir l'une qu'au détriment de l'autre, en l'effaçant au moins provisoirement. S'il souhaite comprendre référentiellement la scène, cette jeune fille entièrement présente dès son entrée, il lui faut évincer autant que possible la découverte successive qu'offre la littéralité de l'écrit. S'il souhaite comprendre littéralement l'écrit, cette découverte par degrés de la jeune fille, c'est la jeune fille entièrement présente dès son entrée qui s'estompe.

Pour fixer les idées, traçons un graphique de ces bizarreries (figure 3). La branche d'hyperbole équilatère que nous obtenons détermine *la trajectoire folle de tout élément fictif* : le lieu de ses instables statuts.

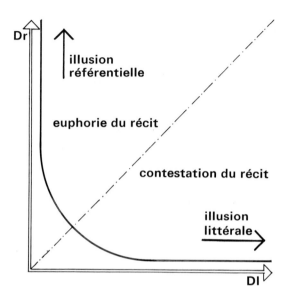

Figure 3

2.1.5. Illusion et contestation du récit

Ce que nous appelons récit est donc une narration qui élabore la littéralité de la fiction, en référence avec ce que, pour
simplifier, nous nommons quelquefois le quotidien. Nullement plus que la fiction, le récit ne saurait donc jouir d'une
assiette solide. Il est le lieu d'un conflit permanent. Revenons
à Salomé. Demander au récit qu'il fonctionne correctement,
c'est exiger de lui qu'il nous donne l'*illusion*, aussi parfaite
que possible, de l'entrée de Salomé dans la salle, entière et
d'un seul coup. Alors, elle pourra danser. Le bon fonctionnement du récit demande une ordonnance littérale telle que
le lecteur puisse aisément la mettre en veilleuse et *prendre*
Salomé *pour* un être de chair et de sang. Bref, *il suscite une
illusion par l'effacement de ce qui est matériel dans l'écrit :*

la littéralité. Si ce refus, cimentant son passage à la limite, parvenait à faire croire à l'absence de la dimension littérale, alors nous accéderions à certaine hallucination point trop rare : l'*illusion référentielle*. Bref, au récit dans le second sens formulé ci-dessus par Genette et que nous préférerions nommer, peut-être : *illusion de représentation*.

La courbe de la fiction se divise donc, très schématiquement, en deux domaines. Celui de l'*euphorie du récit*, où domine la composante référentielle ; celui de la *contestation du récit*, où domine la composante littérale. Ainsi tout récit est-il astreint au jeu subtil, retors, byzantin quelquefois, de l'euphorique et du contestataire. C'est dire qu'il ne saurait s'enclore entièrement dans un seul territoire. Quel que soit celui auquel il incline, le récit opère toujours des incursions dans le domaine inverse : le récit euphorique ne peut échapper à l'insistance du littéral ; le récit contesté, pour reprendre quelque élan, convoque ce qu'il porte à la ruine. C'est selon cette dernière procédure qu'opèrent les Nouveaux Romanciers. *Avec le Nouveau Roman, le récit est en procès : il subit à la fois une mise en marche, et une mise en cause.*

2.2. Le récit excessif

En somme, le récit ressemble à une machine, ou un corps. Bien fonctionner, pour lui, c'est savoir passer inaperçu. Ainsi, deux dangers symétriques le guettent : le défaut et l'excès. Par le défaut, c'est sa détérioration qui le montre ; par l'excès, son exhibition qui le trahit. Or l'excès est nécessairement ce qui tente le récit. Car si le naturel fait que l'on croit, l'artificiel fait que l'on s'intéresse. S'il veut que son récit ne soit trop voyant, le roman doit ainsi refuser ses penchants pour la sophistication, contredire sa tendance *à être trop beau pour être vrai* : coïncidences trop voulues, constructions trop calculées. Or, comme par hasard, ce qui a caractérisé plusieurs des premiers Nouveaux Romans, c'est une construction très agressive. A titre d'exemple, observons trois de ces mécaniques.

2.2.1. Coïncidences pour un Œdipe inverse

Le premier roman de Robbe-Grillet, *Les Gommes*, multiplie les signes qui conduisent le lecteur à découvrir une machination immense au jeu de laquelle toute la fiction se prête. En fait, il s'agit de la superposition de plusieurs dispositifs. Deux au moins : un texte (*Œdipe-Roi*) et une réglementation (du temps).

• **Un récit conforme.** Tout consiste à faire se correspondre, autant que possible, la tragédie de Sophocle et le texte du roman. Et cela, à deux niveaux : celui des éléments anecdotiques dispersés ; celui du dessin d'ensemble. Bref, *Œdipe-Roi*, formant à la fois un réservoir et un patron, offre la base, en apparence, d'un méthodique jeu de coïncidences. Ainsi, à hauteur d'événements, se rassemblent, comme l'a bien vu Bruce Morrissette dans « Œdipe ou le cercle fermé » (*Les Romans de Robbe-Grillet*, Minuit), de nombreux traits communs. *Le sphinx* : « Ou bien c'est un animal fabuleux : la tête, le cou, la poitrine, les pattes de devant, un corps de lion avec sa grande queue, et des ailes d'aigle » (p. 27) ; *les bergers recueillant Œdipe* : « A la fenêtre d'un rez-de-chaussée, les rideaux s'ornent d'un sujet allégorique de grande série : bergers recueillant un enfant abandonné, ou quelque chose dans ce genre-là » (p. 40) ; *les oracles* : « La voyante abusait ses clients » (p. 54) ; *Corinthe* : « Clinique Juard, onze rue de Corinthe » (p. 65) ; *Thèbes* : « Les ruines de Thèbes » (p. 167) ; *l'énigme* : « Quel est l'animal qui est parricide le matin, inceste à midi et aveugle le soir ? » (p. 226) ; *les pieds enflés* : « Il a retiré ses chaussures qui lui faisaient mal ; ses pieds sont enflés à force de marcher » (p. 253).

De même, en ce qui concerne le fonctionnement général, se regroupent, d'une part, ce qu'on pourrait nommer les allusions scéniques et, d'autre part, la convenance typique. Parmi les allusions scéniques, notons *le rôle du temps* : « Le temps, qui veille à tout, a donné la solution malgré toi » (épigraphe du livre proposant une traduction libre de Sophocle) ; la présence d'un *prologue*, comme dans la tragédie antique ; la correspondance des cinq chapitres et des cinq *actes*. Parmi les occurrences de la convenance typique, signalons l'enquêteur qui enquête sur son propre meurtre ; le meurtre du père supposé (Daniel Dupont) par son fils (Wallas) ; le désir de ce fils pour la femme de son père (Évelyne).

• **Un récit contraire.** Cependant, cette correspondance entre *Œdipe-Roi* et *Les Gommes* n'est pas un décalque : elle est plutôt, en quelque sorte, une *inversion* (tableau 4). Dans l'un et l'autre récit, la situation de départ est bien l'envers de la situation d'arrivée, mais l'opération qui permet de passer du départ à l'arrivée est inverse. Dans *Œdipe-Roi*, tout est consommé : les actes se sont déjà accomplis ; dans *Les Gommes*, rien n'est arrivé : les actes vont se produire. Dans *Œdipe-Roi*, il y a un rapport extrinsèque entre les actes et

l'enquête ; dans *Les Gommes*, le rapport est intrinsèque : c'est
l'enquête, en quelque manière, qui provoque les actes, induit
Wallas à perpétrer le meurtre sur lequel il enquête. En d'autres
termes, l'activité d'Œdipe est une opération aléthéique : elle
dévoile ce qui a eu lieu ; l'activité de Wallas une opération
productrice : elle *engendre* ce qui n'était pas. Avec Œdipe,
l'on passe d'une erreur (Œdipe est innocent) à une vérité (il
est coupable) ; avec Wallas, d'une fiction (Dupont fait semblant d'avoir été tué) à une réalité (Dupont a été réellement
tué).

RÉCIT	DÉPART	OPÉRATION	ARRIVÉE
Œdipe-Roi	erreur	dévoilement	vérité
Les Gommes	fiction	transformation	réalité

Tableau 4

En somme, Wallas est un Œdipe inverse. Ce n'est guère
un hasard si l'énigme du Sphinx que propose l'ivrogne intervient, après tâtonnements, selon une version retournée :
« parricide le matin, aveugle à midi... Non... Aveugle le
matin, inceste à midi, parricide le soir » (p. 226). Remarquons-le : l'actif de cette opposition est double. Il permet une
lecture du mythe et une critique idéologique de l'écrit.

Tout oracle et toute enquête ont ceci de commun : ils ensei-
gnent sur des événements. Mais ce sont des enseignements
opposés : l'un concerne le futur, l'autre le passé. *Les Gommes* opère donc une activité subversive : l'enquête y *précède*
le meurtre et, le précédant, *l'engendre*. S'agissant de récit,
on est alors en présence du fonctionnement suivant : loin de
découvrir son objet, la curiosité le constitue. Si on l'applique aux oracles œdipéens, ce paradoxe n'est pas sans offrir
quelque lumière : c'est le désir de connaître l'avenir qui
configure cet avenir. Bref, vouloir connaître son futur, c'est
se condamner à en vivre un tout autre : celui qu'a produit,
par son intervention, la quête elle-même. C'est cette loi productrice, précisément, que met en jeu la fonction des oracles
dans le mythe des Labdacides. On connaît ces oracles : le père

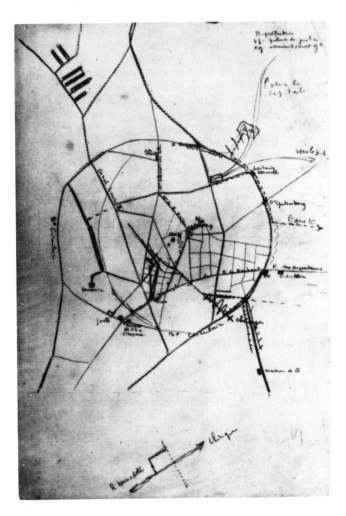

Plan de la ville des Gommes.

(Laïos) comme le fils (Œdipe) les interrogent et chacun en tire un avenir terrifiant. Si, en ce mythe, l'oracle opère comme une machine à distribuer les malheurs, c'est que sa consultation est un interdit qui *engendre* la punition. Quant aux raisons de l'interdit, il nous semble, ainsi que nous l'avons supposé dans « l'Histoire dans l'histoire » (*Problèmes du Nouveau Roman*), être lié à l'aptitude perturbatrice de l'oracle dans le cours diégétique : son anticipation coupe l'herbe sous les pieds du récit et l'oblige à se transformer. Le mythe d'Œdipe concerne donc aussi le récit : y trouvent châtiment ceux qui montrent pour lui une curiosité excessive.

Quant aux textes, nous l'avons vu, ils appartiennent à deux domaines idéologiques opposés. Dans la tragédie de Sophocle, l'action consiste en un dévoilement. Il s'agit d'*accéder*, aussi près que possible, *à un sens institué au préalable* : la culpabilité d'Œdipe. Dans le roman de Robbe-Grillet, l'action consiste en une métamorphose. Il s'agit de *transformer*, aussi foncièrement que possible (faire d'une fiction une réalité), *le sens donné au départ* : la bénigne blessure de Dupont. *Œdipe-Roi* se développe donc suivant l'idéologie de l'*expression-représentation* : elle est l'approche d'une antécédence ; *Les Gommes* fonctionne selon le principe de la *production* : il constitue ce qu'il est censé quérir et affirme, de cette manière, l'un des caractères majeurs de la modernité.

• **Une réglementation temporelle.** Cette fiction selon Robbe-Grillet est ainsi le contraire de l'Histoire selon Marx. Les événements y surviennent, non point d'abord comme tragédie puis comme farce, mais bien d'abord comme comédie puis comme drame. Or cette répétition ne peut précisément s'accomplir sans de strictes observances temporelles. Et, de fait, c'est le temps, avant tout, que la rigoureuse machinerie des *Gommes* configure. Le temps ne s'y définit pas comme un flux rectiligne : il obéit à un itinéraire spiral soumis à un cycle de vingt-quatre heures. Le livre commence à six heures du matin, le 27 octobre, par un prologue qui met en scène le patron d'un café puis les événements de la veille, juste avant l'assassinat manqué du professeur Dupont, à dix-neuf heures trente, par le tueur Garinati. Il se termine à six heures du matin, le 28 octobre, par un épilogue qui met en scène le patron du café, puis les événements de la veille, après le

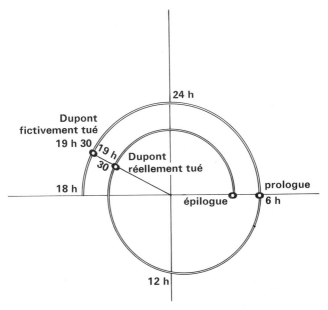

Figure 5

meurtre involontaire du professeur Dupont, à dix-neuf heures trente, par l'enquêteur Wallas (figure 5).

La répétition se trouve ainsi renforcée par un très strict programme temporel. Or, surtout s'il se trouve accru de cette manière, nous connaissons bien la propriété du répétitif : les événements semblables tendent à se rapprocher, à coïncider, enfin à se confondre. Avec, donc, cette remarquable conséquence : le gommage de l'intervalle de temps qui les séparait. Le meurtre réussi de Dupont tend en conséquence à prendre la place de l'assassinat manqué ; l'épilogue à se substituer au prologue ; et, par le saut d'une spire, vingt-quatre heures à s'abolir. Ainsi fonctionne la rigoureuse machinerie des *Gommes* : le futur ne peut y reconstruire le passé qu'à condition de détruire le temps qui l'en sépare. Or, reconstruire le passé et, pour ce faire, tuer le temps, n'est-ce point déjà, très exactement, le programme de ce futur roman achro-

nique dont *La Jalousie*, ultérieurement, offrira l'un des plus
purs exemples ? N'est-ce pas, plus généralement, s'en prendre aux bases mêmes du récit traditionnel : l'*accompli*, par
lequel les événements se constituent ; la *durée*, par laquelle,
l'un provoquant l'autre, ils se succèdent ?

2.2.2. Correspondances pour une proportion antagoniste

La mécanisation du récit, avec l'effet d'exhibition qui en
découle, nul nouveau romancier ne l'a sans doute poussée
plus loin que Michel Butor. Ainsi avons-nous pu faire paraître, dans « Temps de la narration, temps de la fiction » (*Problèmes du Nouveau Roman*), comment *L'Emploi du temps*
déterminait ce qu'on pourrait nommer une *pince narrative*,
se resserrant toujours davantage sur un point énigmatique.
Nous insisterons plutôt ici sur *La Modification*.

• **L'histoire comme conséquence.** Soulignons-le : composer un roman de cette manière, ce n'est pas avoir l'idée d'une
histoire, puis la disposer ; c'est avoir l'idée d'un dispositif,
puis en déduire une histoire. Et, donc, redisons-le : il ne s'agit
pas d'exprimer ou de représenter quelque chose qui existe-
rait déjà ; il s'agit de produire quelque chose qui n'existe pas
encore. Cette procédure, nous le savons, est antipathique à
tout ce que l'idéologie dominante ne cesse de ressasser. Peut-
être n'est-il pas indifférent d'en préciser au passage le fonctionnement, sous forme brève : celle que propose Valéry dans
un de ses *Cahiers*. « Je vis une ligne et deux points sur cette
ligne. Qui dira comment ce A et ce B sont devenus Hortense
et Henri ? Moins hasard, eux ? — Une loi existait entre ces
deux points. Une loi toute mathématique. L'un aimait l'autre
— quand il en était près — et l'autre aimait l'un quand elle
en était loin. Aimer — naturellement, je ne sais ce que c'est
et n'approfondirai pas mais je voyais distinctement que dans
un vrai roman psychologique quinze pages au moins eussent
été nécessaires pour dire que j'ignorais, etc. Je pris donc cet
amour réciproque comme une loi d'ailleurs inconnue dans
la nature et dont seulement les effets m'étaient donnés. Il n'en
faut pas davantage pour calculer. Je sentis alors le roman

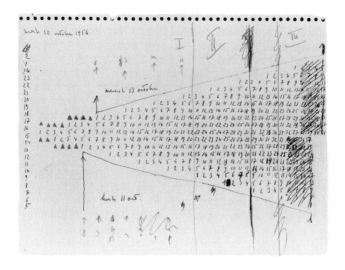

Préparation pour d'autres mécaniques : schémas de travail pour « Degrés ».

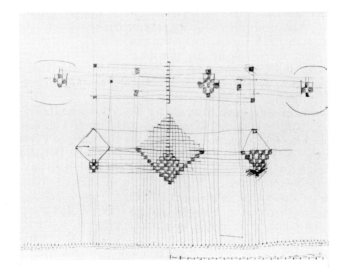

se poser sans que mon imagination fît la moindre dépense
— la loi seulement se développait tout mécaniquement et je
remplaçais non moins mécaniquement les conséquences par
des analogues d'ordre social ou psychologique — quelquefois un peu indéterminés à vrai dire. Ainsi j'appelais ces points
Hortense et Henri. J'appelais amour les effets de leurs déplacements, je consacrais sans m'y arrêter plus d'une minute,
cinquante pages à décrire leurs milieux et leurs amis. Cent
pages m'apparurent nécessaires (d'abord pour l'existence du
roman) ensuite pour montrer l'existence de ma loi, c'est-à-
dire que je montrai les amants inverses dans leurs sentiments
divers » (*Cahiers*, tome I, p. 772).

C'est dans une perspective du même ordre que se disposent ces remarques de Butor : « Prenez l'exemple de *La Modification* : en travaillant sur *L'Emploi du temps* dont le
principal personnage était une ville, je me suis posé la question : — Comment faire un roman avec deux villes ? Il ne
s'agissait pas encore de Paris et de Rome. Mais, en fouillant
un peu plus, ces capitales se sont imposées inéluctablement.
Comment les mettre en relation ? Après avoir essayé divers
procédés, j'en suis arrivé à ces voyages successifs racontés
dans un voyage, méthode qui me permettait de faire à la fois
une parodie du roman français classique fondé sur le triangle, et de mettre cette structure romanesque en relation avec
les structures historiques beaucoup plus vastes. L'''histoire'',
c'est ce qui vient en dernier, une solution à un certain nombre de problèmes, une certaine façon de parler d'autre chose »
(entretien avec Jean-Louis de Rambures, *Le Monde*,
11-6-1971).

• **L'ordre des gares.** Pour se tenir ici à l'écart des complexités, bornons-nous à observer superficiellement l'intrigue
psychologique. Non moins que dans le projet valéryen, l'évolution des sentiments y est une fonction de l'espace. Delmont
décidé à abandonner sa femme quitte Paris par le train pour
retrouver sa maîtresse à Rome. Mais, s'approchant de Cécile,
sa passion décroît ; s'éloignant d'Henriette, son intérêt aug-
mente. Un proverbe retourné, « loin des yeux, près du cœur »,
peut résumer cette relation inversement proportionnelle qui
lie proximité spatiale et proximité sentimentale. Ainsi, selon
l'ordre des gares, même si elle doit être à certains niveaux

mise en cause, s'agence l'une des organisations les plus voyantes : celle qui s'appuie sur une règle de symétrie. Innombrables sont les traces de son activité. Au niveau *macroscopique*, il suffit, pour déjà les apercevoir, de confronter une des extrémités du livre à l'autre : au départ, à Paris, Delmont envisage d'y ramener sa maîtresse, qui vit à Rome ; à l'arrivée, à Rome, il se promet d'y revenir, avec sa femme qui vit à Paris. Au début la femme est donc liée à l'accompli et la maîtresse au projet ; à la fin la maîtresse à l'accompli et la femme au projet. On le voit : ce dispositif spatio-sentimental est un mécanisme qui lie automatiquement les deux villes : s'approcher de l'une, c'est éprouver le désir de quelqu'un qui vit dans l'autre.

Mais cette symétrie est lisible aussi au niveau *microscopique*, en la brièveté de quelques lignes : celles, par exemple, qui résument le fonctionnement du livre quelque peu fantastique que pourrait écrire le voyageur, font paraître la similitude (les deux panthéons) et le renversement (les deux voyages contraires) : « Ainsi le personnage principal se promenant aux alentours du Panthéon parisien pourrait un jour, tournant à l'angle d'une maison bien connue, se trouver soudain dans une rue toute différente de celle à laquelle il s'attendait, dans une lumière tout autre, avec des inscriptions dans une autre langue qu'il reconnaîtrait comme de l'italien, lui rappelant une rue qu'il a traversée déjà, s'identifiant bientôt comme une de ces rues aux alentours du Panthéon romain, et la femme qu'il rencontrerait là, il comprendrait que pour la retrouver il lui suffirait d'aller à Rome comme n'importe qui peut y aller n'importe quand pourvu qu'il ait l'argent et le loisir, en prenant le train par exemple, en y consacrant le temps, en passant par toutes les stations intermédiaires ; et de même cette femme romaine de temps en temps passerait à Paris ; ayant longuement voyagé pour la retrouver, il s'apercevrait qu'involontairement sans doute elle est partie au lieu même qu'il vient de quitter... » (p. 243). Mais cette mécanisation ne s'arbore pas seulement au niveau de la dimension référentielle de la fiction, elle se montre aussi au niveau de la dimension littérale. Ce n'est pas uniquement selon la succession des gares qu'une symétrie se déclare, c'est non moins selon la succession des pages.

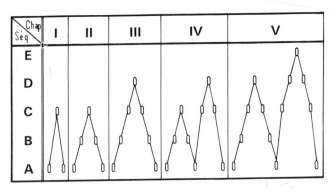

Figure 6

• **L'ordre des pages.** Dans son livre minutieux sur *La Modification* (*Critique du roman*, Gallimard), Françoise van Rossum-Guyon a étudié soigneusement un phénomène qui frappe très vite le lecteur du roman de Butor : celui de la distribution réglée des séquences. Ayant déterminé cinq types de séquences : « A : le présent ; B : le futur ; C : le passé proche ; D : le passé avec Cécile, il y a deux ans, il y a un an ; E : le passé avec Henriette, il y a trois ans et il y a vingt ans » (p. 248), elle en montre la disposition ordonnée selon un schéma (p. 249) que nous traduirons, pour notre part, selon un tableau (figure 6). C'est très clairement que, de chapitre en chapitre, s'y marque la symétrie. Si les chapitres six, sept et huit font exception, c'est qu'il s'agit du passage de la disposition initiale à une autre : celle du chapitre neuf. Ces chapitres de transition ne sont d'ailleurs nullement soumis au désordre. Les saillies qu'ils comportent obéissent respectivement à une même loi : deux séquences intermédiaires sur le segment ascendant et une sur le segment descendant pour le chapitre six ; deux séquences intermédiaires sur le segment ascendant et aucune sur le segment descendant pour le chapitre sept ; une séquence intermédiaire sur le segment ascendant et aucune sur le segment descendant pour le chapitre huit. Ainsi fonctionne la rigoureuse machinerie de *La Modification* : le foisonnement digressif s'y trouve soumis, tout au long du chemin, à de perceptibles lois de fer. Loin de se

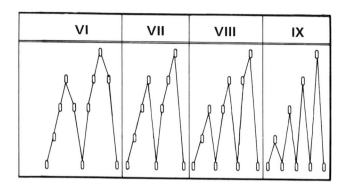

déguiser sous une confortable aisance naturelle, le récit se met en évidence par la périlleuse profusion d'artifices excessifs.

2.2.3. Concordances pour un voyage circulaire

Contemporain de *La Modification*, le premier roman de Claude Ollier, *La Mise en scène*, se risque également très loin, quoique d'autre manière, dans les sophistications de la symétrie. Nous en avons donné une analyse approfondie dans « L'énigme dérivée » (*Pour une théorie du Nouveau Roman*) : nous nous en tiendrons à quelques remarques succinctes.

• **Un espace symétrique.** A partir d'Assameur, l'ingénieur Lassalle doit se rendre à Imlil. Deux chemins s'offrent à lui. Cette alternative n'est guère fortuite. Elle vient des aptitudes remarquablement symétriques de l'espace référentiel où se joue la fiction. Lassalle se propose de parcourir l'ensemble du circuit selon le sens giratoire de droite (figure 7).

Ce faisant, il rencontre des réglementations très strictes : il lui faut, avec trois étapes égales, trois jours pour se rendre à Imlil et trois jours pour revenir à Assameur. Le premier intervalle et le dernier s'accomplissent en véhicule à moteur ; les quatre autres respectivement à dos de mulet. Les noms de la première et de la dernière halte ont une même longueur

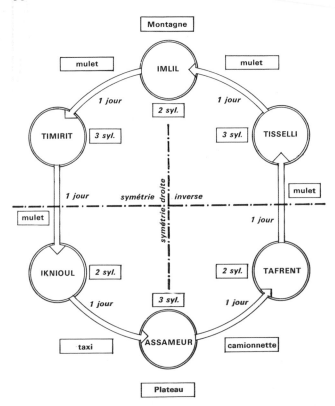

Figure 7

de deux syllabes ; ceux de la seconde et de l'avant-dernière
trois syllabes. A l'un et l'autre de ces deux arrêts, il est invité
pour le même motif (un repas), chez un personnage de même
importance (un cheikh) dont la porte est ornée d'un même
emblème (la main de Fatima) et dont le nom connaît une
même initiale (A) et les mêmes terminales (am) : Agouram,
Si Abdesselam, etc.

En fait, l'ordonnance de la région obéit à un dispositif plus
complexe, double si l'on veut. A l'axe de symétrie droite dont
on vient de signaler quelques effets et qui traverse les deux

lieux majeurs (Assameur et Imlil) s'ajoute, perpendiculaire,
un axe de symétrie inverse par lequel les deux lieux majeurs
se trouvent une autre fois réunis. Au lieu central (Assameur)
de trois syllabes, entouré de noms de deux syllabes, correspond un lieu central (Imlil), entouré de noms de trois syllabes. A deux voyages faits en véhicules motorisés s'opposent
deux voyages à dos de mulet ; à un plateau répond une montagne. Mais il y a davantage. Peu avant son départ, à Assameur, Lassalle assiste aux derniers moments de Jamila ; en
cours de route, à Imlil, il est témoin de sa reviviscence sous
les traits de sa jumelle Yamina. Pendant son séjour à Imlil,
Lassalle devine que Lessing, son prédécesseur, a été assassiné ; à son retour à Assameur, il surprend la reviviscence de
la victime sur son... propre visage, quand le lieutenant du
poste le confond avec le géologue disparu. C'est donc un parfait chiasme que provoque, d'Assameur à Imlil, le jeu de la
symétrie inverse (tableau 8).

▼ victimes / lieux ▼	ASSAMEUR	IMLIL
JAMILA	mort	reviviscence
LESSING	reviviscence	mort

Tableau 8

• **La profusion des doubles.** Telles symétries ne viennent
toutefois que de l'application, au domaine particulier de
l'espace, d'une procédure plus ample : la gémination. Par
elle, toutes choses, dans *La Mise en scène*, tendent à s'offrir
par deux. Aussi bien pour les rôles que pour les patronymes,
dont il importe (comme nous l'avons fait pour les deux
cheikhs) de surveiller l'initiale, nous voyons maint couple en
tous lieux s'établir. Dès le départ, l'ingénieur reçoit deux aides
consécutives : celle d'un brigadier (Pozzi) qui le conduit en
camionnette à Tafrent et celle d'un garde forestier (Piantoni)
qui lui procure des mulets et un guide. Lors de la soirée chez
le guide (Ba Iken), l'amabilité du maître de maison est accentuée par les soins diligents du fils (Bihi). Deux êtres anor-
maux (l'un est caractériel, l'autre muet) parcourent sans cesse

les alentours d'Imlil. Ils se nomment Idder et Ichou. A l'aller,
à Assameur, Lassalle a eu affaire au capitaine Weiss ; au
retour, au lieutenant Watton. Jamila a une jumelle : Yamina.
L'ingénieur Lassalle, rappelons-le, devient le sosie du géologue Lessing.

• **Symétries narratives.** Davantage : la symétrie organise
non seulement la dimension référentielle de la fiction mais
aussi sa dimension littérale. Au niveau général, le livre, autour
de sa partie centrale, dispose une première section de sept chapitres et une dernière de sept également. Ce sont les signes
d'une disposition rigoureusement croisée (tableau 9).

▼ chapitres/parties ▶	I	III
I II III	ASSAMEUR	VOYAGE
IV	DÉPART D'ASSAMEUR	RETOUR A ASSAMEUR
V VI VII	VOYAGE	ASSAMEUR

Tableau 9

Au niveau local, ce sont quelquefois des raffinements
minutieux, tels, par exemple, les portraits des deux jumelles
inverses (l'une est marquée par la mort, l'autre par la reviviscence) dont les phrases semblables tendent à s'inscrire selon
une disposition inversée : « Les cheveux, très noirs, sont séparés par une raie médiane et tressés en nattes qui, de derrière
les oreilles, retombent sur les épaules de chaque côté d'un
collier de pièces d'argent montées sur une cordelette de soie.
Le front est large, bien dégagé, le bas du visage très effilé,
les joues creuses. Les lèvres pleines, bien dessinées, sont agitées d'infimes tremblements. Les yeux, inhabituellement distants l'un de l'autre, semblent logés en lisière des tempes,
par-delà la saillie des pommettes » (Jamila, p. 28) ; « Les yeux
verts, attentifs, inhabituellement distants l'un de l'autre, sem-

blent logés en lisière des tempes, par-delà la saillie des pommettes. Le front est large, bien dégagé, le bas du visage très effilé. L'inclinaison de la tête met en valeur deux courbes concentriques : la ligne des sourcils, celle des lèvres souples et fines. Les cheveux, très noirs, sont séparés par une raie médiane et tressés en nattes qui contournent les oreilles et retombent sur le devant des épaules » (Yamina, p. 82). Ainsi fonctionne la rigoureuse machinerie de *La Mise en scène* : les coïncidences s'y multiplient innombrablement, révélant le calcul et exhibant ainsi, une fois encore, à tout instant, périlleusement, le récit comme tel.

2.3. Le récit abymé

Mais le récit connaît une autre manière d'obtenir des coïncidences très construites. Il ne s'agit plus cette fois de mettre en œuvre les reprises et renversements de la symétrie. C'est, ainsi que nous l'avons montré dans « l'Histoire dans l'histoire » (*Problèmes du Nouveau Roman*), à la *mise en abyme* qu'il suffit de recourir.

2.3.1. Deux descriptions de la mise en abyme

Cette procédure, on admet communément aujourd'hui que Gide compte parmi ceux qui l'ont le plus nettement définie. Relisons, donc, le fameux passage du *Journal* de 1893 : « J'aime assez qu'en une œuvre d'art, on retrouve ainsi transposé, à l'échelle des personnages, le sujet même de cette œuvre. Rien ne l'éclaire et n'établit plus sûrement les proportions de l'ensemble. Ainsi, dans tels tableaux de Memling ou de Quentin Metsys, un petit miroir convexe et sombre reflète, à son tour, l'intérieur de la scène où se joue la scène peinte. Ainsi, dans le tableau des Ménines de Velasquez (mais un peu différemment). Enfin, en littérature, dans *Hamlet*, la scène de la comédie ; et ailleurs dans bien d'autres pièces. Dans *Wilhelm Meister*, les scènes de marionnettes ou de fêtes au château. Dans *La Chute de la maison Usher*, la lecture que l'on fait à Roderick, etc. » Notant l'analogie de cette enclave avec l'inclusion, en héraldique, d'un blason dans un autre, on se souvient que Gide propose de la nommer une mise en abyme.

Curieusement moins connue, il existe cependant chez un autre écrivain célèbre, une description de ce procédé. Tout porte à croire, même, et notamment par la reprise au début de deux phrases, identiquement, de l'adverbe « ainsi », que le texte de Gide en est une réminiscence. On la trouve dans le *William Shakespeare* de Hugo : « Toutes les pièces de Shakespeare, deux exceptées, *Macbeth* et *Roméo et Juliette*, trente-quatre pièces sur trente-six, offrent à l'observation une particularité qui semble avoir échappé jusqu'à ce jour aux commentateurs et aux critiques les plus considérables (…). C'est une double action qui traverse le drame et qui le reflète en petit. A côté de la tempête dans l'Atlantique, la tempête dans le verre d'eau. Ainsi Hamlet fait au-dessous de lui un Hamlet ; il tue Polonius, père de Laertes, et voilà Laertes vis-à-vis de lui exactement dans la même situation que vis-à-vis de Claudius. Il y a deux pères à venger. Il pourrait y avoir deux spectres. Ainsi, dans *Le Roi Lear*, côte à côte et de front, Lear désespéré par ses filles Goneril et Regane, et consolé par sa fille Cordelia, est répété par Gloucester, trahi par son fils Edmond et aimé par son fils Edgar. L'idée bifurquée, l'idée se faisant écho à elle-même, un drame moindre copiant et coudoyant le drame principal, l'action traînant sa lune, une action plus petite que sa pareille ; l'unité coupée en deux, c'est là assurément un fait étrange. (…) Ces actions doubles sont purement shakespeariennes (…). Elles sont en outre le signe du XVIe siècle. (…) L'esprit du XVIe siècle était aux miroirs ; toute idée de la Renaissance est à double compartiment. Voyez les jubés dans les églises. La Renaissance avec un art exquis et bizarre y fait toujours répercuter l'Ancien Testament dans le Nouveau. La double action est là partout. »

A Hugo, donc, la profusion des métaphores explicatives ; à Gide, une rectification : l'usage de la mise en abyme déborde largement Shakespeare et le XVIe siècle. Mais un autre point, en chaque page, mérite d'être souligné : une erreur chez Gide ; la sévérité de Hugo pour les commentateurs considérables. Dans *Un héritage d'André Gide : la duplication intérieure* (*Comparative Literature Studies*, vol. 8 n° 2), Bruce Morrissette a signalé que la comparaison de Gide est inexacte : jamais, en héraldique, le blason inclus n'est l'image de celui qui le reçoit. Or l'élégante formule gidienne a été néanmoins aisément admise. C'est que l'erreur technique se trouve balancée, selon nous, par une convenance plus profonde, sensible quand on se souvient de l'étonnement caustique de Hugo relevant, à sa façon, la cécité idéologique des commentateurs les plus considérables. Nul doute en effet que, par cette « étrange » procédure de dédoublement, le récit, soumis à de curieux vertiges et à de singuliers dommages, ne soit en quelque manière dangereusement *abîmé*.

Cette contestation du récit, la mise en abyme l'opère doublement : en ce qu'elle est *révélatrice* ; en ce qu'elle est *antithétique*.

2.3.2. La mise en abyme révélatrice

Dans la mesure où le récit-satellite, pour parler comme Hugo, résume le grand récit qui le contient, il joue le rôle d'un *révélateur*. D'une part de façon générale (répétition) ; d'autre part selon des traits distincts (condensation, anticipation). *Répétition :* toute mise en abyme multiplie ce qu'elle imite ou, si l'on préfère, le souligne en le redisant. *Condensation :* mais elle le redit autrement ; le plus souvent, elle met en jeu des événements plus simples, plus brefs ; en cette condensation, les dispositifs répercutés ont tendance à prendre une netteté schématique. *Anticipation :* en outre, il arrive quelquefois aux micro-événements que la mise en abyme recèle de précéder les macro-événements correspondants ; en ce cas, la révélation risque d'être si active que tout le récit peut en être *court-circuité*.

Dans « l'Histoire dans l'histoire » (*Problèmes du Nouveau Roman*), nous avons analysé plusieurs occurrences de cette fonction révélatrice : avec *Le Voyeur*, Alain Robbe-Grillet propose une scène en abyme (un miroir faisant paraître, d'une chambre, sa partie soustraite au regard de l'observateur) trahissant le viol que Mathias, précisément, s'efforce de dissimuler ; dans *L'Emploi du temps*, Michel Butor dispose, avec le vitrail de Caïn, qui joint une pluie de sang à un immense incendie, une marque accusatrice, ou comme le déclare évasivement le narrateur : «ce signe majeur qui a organisé toute ma vie dans notre année, Bleston». C'est à divers autres exemples que nous allons nous attacher.

- **La vérité dans la préhistoire.** Lassalle, dans *La Mise en scène*, parvient à Imlil, haute vallée de la montagne marocaine. Son rôle revient à y établir des *raccordements* : au propre, au figuré. Au propre : il entreprend de découvrir le tracé d'une piste qui puisse optimalement unir une mine sur le flanc de l'Angoun avec, plus bas, le réseau des chemins praticables. Au figuré : il se prend à marginalement reconstruire la scène capable de réunir Jamila, la jeune fille assassinée probablement à Imlil, et un certain Lessing, géologue, dont tout porte à croire qu'il a péri récemment dans la même région. Son propos revient à joindre en une mosaïque cohérente les indices fragmentaires qu'il s'efforce patiemment d'obtenir.

Or, vers le milieu du volume, tandis que Lassalle se consacre à sa tâche seconde, soudain une «preuve» se déclare, fantastiquement venue d'un passé d'outre-mémoire : une gravure rupestre qui assemble, sur une pierre exiguë, toute une scène pertinente. «Mais sur une pierre ogivale à demi cachée par une touffe d'armoise, un agencement plus complexe retient l'attention. Un individu juché à califourchon sur un modeste quadrupède (un bourricot ?) brandit un maillet dont il menace un enfant prosterné devant lui, à droite, les mains jointes. A l'opposé, un corps est étendu derrière la bête, les bras en croix. En l'absence de perspective, le corps est présenté debout, mais à un niveau inférieur à celui des autres personnages, comme si l'animal, sur son passage, l'avait enseveli droit dans le sol : l'homme vient d'être frappé et gît, mort ou blessé à mort. Plus à gauche encore, au niveau normal, un second animal s'éloigne, le sabot levé. Tandis qu'Ichou écarte du pied les brindilles d'armoise, Lassalle, un genou à terre, essaie de retracer aussi fidèlement que possible, sur les dernières pages de son carnet, les cinq figures qu'il a sous les yeux et qu'il ne peut s'empêcher par moments de considérer comme un tableau unique. Mais rien ne prouve évidemment qu'une telle intention ait inspiré le graveur : bien des rapports naissent de la simple juxtaposition, sans qu'aucune contrainte logique ait présidé à l'entreprise (tout au plus une certaine contrainte matérielle : le manque de place)» (p. 153).

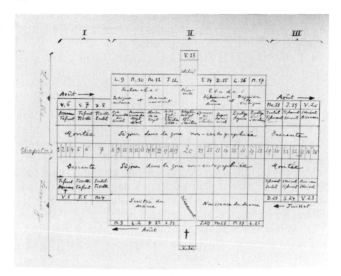

Emplacement de la gravure rupestre dans le dispositif de La Mise en scène.

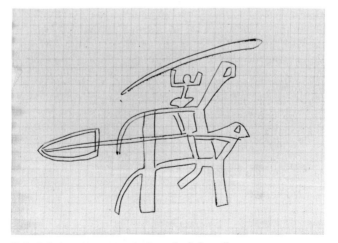

Relevé de la gravure rupestre à partir de laquelle Cl. Ollier a établi celle de La Mise en scène.

En effet, cette pierre remplit une double fonction. D'une part, elle *distribue* les rôles : le corps étendu, c'est celui de Lessing ; l'enfant prosterné, c'est la jeune Jamila ; l'individu sur le bourricot, c'est Idder, l'homme diverses fois rencontré, la main toujours armée. D'autre part, en son exiguïté, elle *assemble* ces rôles : « Entre les trois figures de droite — l'enfant, le cavalier et l'âne — la relation est probable, sinon manifeste. Entre les deux autres (et entre les deux groupes ainsi constitués) elle est beaucoup plus discutable. La tentation est grande néanmoins de lier au premier groupe les deux figures de gauche et d'en induire une unité d'action propre à renouveler l'intérêt dramatique de la scène. C'est postuler un double meurtre et déjà lui prêter toutes sortes de mobiles : haine, rite, trahison, vengeance... » (p. 153). Davantage, cette pierre désigne le lieu du meurtre : ogivale, elle renvoie à la voûte du pont naturel d'Imi n'Oucchène sous laquelle Lassalle a trouvé l'appareil photographique marqué du nom de Lessing. Si impressionnantes sont ainsi les indications rupestres que c'est à partir d'elles, finalement, en consultant les dessins inscrits sur son carnet, que Lassalle pratiquera la reconstitution du meurtre (p. 199).

Mais peut-être convient-il d'admettre une lecture moins hâtive. S'agissant de la mise en abyme, il est temps de se poser la question de son *efficace* au niveau de la dimension référentielle de la fiction : si la mise en abyme révèle certains aspects majeurs de la fiction en laquelle elle figure, n'est-ce point parce que l'aventure s'est constituée, au niveau référentiel, en *obéissant* à ses ordres ? Bref, si la mise en abyme éclaire la fiction, n'est-ce point, dans certains cas, parce qu'elle l'a engendrée à son image ? Avec chaque mise en abyme, il y a lieu de s'interroger, au-delà de sa fonction symptomatique, sur l'éventualité de son rôle matriciel. En somme, il ne faut pas hésiter à quelquefois renverser toute la figure et remplacer l'idée d'un micro-récit comme mise en abyme d'une macro-histoire par l'hypothèse d'une macro-histoire comme *mise en périphérie* d'un micro-récit. Le drame moindre ne serait plus alors seulement présage, oracle, prophétie mimétiques ; il fonctionnerait comme un modèle, un jeu de directives, un ensemble d'injonctions. Il s'apparenterait moins à une opération augurale qu'à une activité magique ; il serait moins une *expression* anticipée que la base d'une *production*.

Peut-être s'agit-il en effet, dans *La Mise en scène*, d'agissements de tout autre envergure. Pour le montrer, il importe de s'astreindre, d'abord, à la rigueur de quelques minuties. Les rapports de la gravure du Tizi n'Oualoun avec l'histoire sont plus étroits qu'il ne pouvait paraître d'emblée. Ce n'est pas seulement la scène du meurtre que la pierre configure, c'est, en sa surprenante étrangeté, le fonctionnement de toute l'histoire qu'elle définit. Dans la machinerie du récit, Jamila est placée sous le signe de la *jonction* avec Lassalle : mourante, elle est portée à Assameur où l'ingénieur assiste quelques instants à son agonie ; Lessing est placé sous le signe de la *disjonction* d'avec Lassalle : assassiné, son cadavre est transporté sur l'autre versant de la montagne, loin du champ d'opérations de l'ingénieur. Or les indications de la gravure préhistorique sont irrécusables à cet égard : l'enfant prosterné, modèle de Jamila, a « les mains jointes » ; le corps étendu, modèle de Lessing, « les bras en croix », a les mains écartées. Davantage : le modèle de Lessing et celui de sa monture, le cheval qui sabot levé s'éloigne, sont dessinés *à gauche*. Or toute la différence entre Lessing et Lassalle vient de ce que le premier est monté à Imlil par l'itinéraire de gauche et l'autre par celui de droite. Si, comme nous l'avons montré dans « L'énigme dérivée » (*Pour une théorie du Nouveau Roman*), l'espace de gauche est, dans *La Mise en scène*, toujours sinistre, ainsi, de mille manières, nous comprenons à présent que c'est parce qu'il se trouve placé sous l'emblème du meurtre, depuis... la préhistoire.

Il faut donc aller outre. S'il s'agit d'une mise en périphérie, dans la mesure où la gravure rupestre réglemente « de toute éternité » le fonctionnement même de cet espace, nul doute que transparaisse alors, vertigineusement, un mythe cyclique : tout étranger qui accédera à ses hautes contrées par l'itinéraire de gauche sera victime d'une agression mortelle, tandis que son successeur, adoptant la voie de droite, y passera indemne. Cette répétition infinie, le texte ne manque pas de la rendre sensible : Lassalle a été précédé à Imlil par un certain Moritz, revenu sain et sauf ; Lessing, apprend-on incidemment vers la fin (p. 233), est suivi par un nouveau voyageur, sur son périlleux itinéraire...

• **L'avenir est dans la toile.** Soulignons-le : ce n'est pas une thématique antécédente qui se met en texte, c'est le texte qui convoque, selon ses dispositifs, telle thématique opportune. Ainsi pourrait-on nommer *catalogue fonctionnel* l'ensemble des situations qui rendent faciles, dans un texte, la venue de tel ou tel fonctionnement. Dans la mesure où, reliant par analogie deux séries d'événements, la mise en abyme tend à s'assimiler à une image, son catalogue fonctionnel assemblera tout ce qui peut jouer un rôle figuratif : dessins, gravures, photographies, sculptures, figurines, écussons, insignes. Ou encore, ainsi que l'a montré Lucien Dällenbach à propos de *Passage de Milan* dans son essai sur Butor (*Le Livre et ses miroirs*, Archives des Lettres modernes) : les cartes à jouer, la peinture. Rien, peut-être, mieux que le quadrillage, qui convienne à ce roman. Tout s'y distribue en cases : l'espace, le temps. *L'espace :* l'action s'accomplit dans un volume stratifié, une maison, avec ses divers niveaux au quinze du passage de Milan. Divisions, donc, en lesquelles les habitants se trouvent isolés par les murs, les plafonds : « Ainsi venait de faire Alexis, quelques mètres au-dessous de lui, séparé par les planches, les poutres, les lattes et le plâtre qui ferme le plafond de sa chambre obscure » (p. 13). Mais, aussi, relations. Liaison architecturale : « le grand escalier, pivot de l'immeuble » (p. 249) ; liaison conjoncturale : une fête donnée par les Vertigues en l'honneur de la majorité de leur fille Angèle et où certains voisins sont invités. *Le temps :* l'action se déroule multiplement, de sept heures du soir — « Sept heures neuf, j'avais entendu sonner l'église des sœurs quand je suis allé pour fermer les volets » (p. 9) — à sept heures du matin — « Sept heures sonnent au clocher des sœurs » (p. 286) — chaque heure s'emboîtant dans l'un des douze chapitres. A la fin de la soirée des Vertigues, Angèle, accidentellement, est mise à mort.

Or un peintre, Martin de Vere, habite l'immeuble, et maints détails accentuent les ressemblances entre l'une de ses toiles en cours et le double cloisonnement à partir duquel nous venons de voir l'action s'accomplir. Le grillage s'y définit d'abord en termes de temps : « Le tableau inachevé sembla-

ble à un emploi du temps, douze carrés sur fond gris, dont
on distingue mal les couleurs, avec cet éclairage insuffisant »
(p. 111), puis en termes d'espace habité : « Vous voyez, ma
maison n'a que douze salles, mais le jeu ordinaire comporte
cinquante-deux cartes » (p. 119). Davantage : en raison du bal
qui s'y donne, l'édifice devient une boîte à musique : « Au fur
et à mesure que la nuit se continue, les cloisons deviennent
plus poreuses aux sons qui circulent en même temps que l'eau
dans les conduits, et naissent dans les poutres qui travaillent.
Ce qu'il reste d'un blues, au travers du plâtre et du bois, devient
plus lourd » (p. 118). Cependant, quelques pages plus haut,
la toile a été également associée à la musique : « Martin de Vere
désigne un panneau sur fond très pâle, nacré, où des petits
carrés semblables à des notes grégoriennes s'organisent en quatre lignes sinueuses » (p. 113), pendant une séquence où déjà
parvenaient, selon la plus étroite contiguïté, les signes musi-
caux de la fête : « Valse, se dit la grande Bénédicte » (p. 114).

Plus encore : la peinture de Martin accueille hiéroglyphes
et lettres. Hiéroglyphique, elle évoque les événements en
cours : valets et dames du jeu de cartes assemblés au centre
correspondent aux jeunes gens réunis chez les Vertigues. Littérale, elle se fait texte et, singulièrement, texte investi d'étranges pouvoirs : « Je réapprenais l'A, le B ; c'étaient comme
des personnages qui allaient habiter des maisons que je leur
avais préparées. Bientôt j'eus à ma disposition plusieurs races
que je mariais. Mais les syllabes qui se liaient sur les murs
de cet atelier, cherchant un sens, s'attachaient à toutes les
bribes de langues anciennes ou modernes qui me restaient de
mes études, pour brûler en pensers bizarres. J'eus l'impression qu'en me servant de lettres j'avais donné la parole à une
sorte de machine qui en savait plus long que moi. Ma peinture, la plus raisonnable de toutes, devenait hantée » (p. 115).
Enfin, reflet complexe de l'édifice et des problèmes qui se
mettent en place, le tableau a failli se laisser lui-même inves-
tir par les miroitantes dispositions de la mise en abyme : « J'ai
pensé un moment dessiner sur les vitres qu'ils tiennent à la
main les reflets des grands personnages » (p. 120). Est-ce
tout ? Certes non : miroir de la fiction, ce tableau est aussi
miroir du patronyme de celui qui l'élabore. Vitre miroitante,
il est le verre de Martin de Vere.

Nous l'avons noté : le catalogue fonctionnel de la mise en abyme connaît la figurine. Parmi les thématiques que peut convoquer ce dispositif textuel, il faut donc compter la magie. Dans *La Mise en scène*, c'est un espace ensorcelé, en quelque sorte, qui se propose ; dans *Passage de Milan*, c'est dans un édifice que l'avenir est soumis à d'impressionnantes injonctions. L'envoûtement, dans un texte, accomplit en effet deux opérations inverses. D'abord, une mise en abyme : il configure une image de l'objet sur lequel il veut intervenir ; puis une mise en périphérie : il permet au microcosme déduit d'agir à son tour sur le macrocosme. Peut-être n'y aurait-il guère lieu d'insister sur cette composante magique si le livre ne se plaisait à inscrire dans la maison, ainsi que l'a noté Georges Raillard dans son essai sur Butor (« Bibliothèque idéale », Gallimard, p. 188), tout un « champ ésotérique, voire théosophique ». Auteur d'une peinture qui se lie selon de si étroites analogies, en cette nuit, avec l'édifice, Martin de Vere joue, à son insu, le rôle d'un apprenti sorcier : tout ce qui affectera la toile, agira sur les événements de la soirée.

Or, à tel moment, à propos d'une des dames qu'il est difficile de placer sur la toile, se prononce un dialogue dont certains détails doivent être soulignés : « J'aime ce roi central (...) plus grand que les deux valets, ce contraste avec la scène voisine, où il répond à cet as que j'ai voulu semblable à un aigle en plein vol. Alors que faire de cette dame gênante. *On pourrait la mettre horizontale ? (...) Pourquoi ne pas tout simplement la supprimer ?* » (p. 121). Et précisément, pendant le bal, c'est à cette dame qu'Angèle Vertigues est comparée : « Un peu jeune pour la dame de cœur, mais la dame de son tableau n'a rien à voir avec la nourrice des jeux de cartes ordinaires » (p. 170). Mieux : il est facile, en son nom, de retrouver Vere, patronyme de l'auteur du miroitant tableau. Ainsi, tout est disposé. Il suffira à présent de laisser jouer les lois de la logique étrange. Subissant l'insistance du centre (le centre du tableau, le roi central), admettons de nous montrer particulièrement attentifs au centre du livre. Comme *Passage de Milan* comporte le nombre pair de douze chapitres, il ne saurait offrir qu'un centre divisé : la fin du sixième chapitre, le début du chapitre sept.

Un simple regard sitôt conforte l'hypothèse : le dernier mot de ce chapitre six est... centre. Et ce qui précède, sous le signe du verre (de Vere, carreau, entrouvert) dispose une décisive scène : celle de la destruction, par le feu, du... centre de la toile magique : « Mais dans l'atelier de Martin de Vere, personne n'était là pour fermer le carreau que Gaston Mourre avait laissé entrouvert. Les deux dessins qui avaient glissé de la table, soulevés par la fourche de l'air, se mirent à tournoyer lourdement à quelque quinze centimètres du sol, s'effondrèrent sur les résistances incandescentes du radiateur, prirent flamme, et, allégés, se déchirant et ronflant, sautèrent avec leurs chevelures jusqu'aux douze carrés, dont la peinture fraîche se salit et fondit au centre » (p. 180). C'est-à-dire, ainsi que le précisera ultérieurement Martin à sa femme, tout en lui apportant, pour boire, un... verre fumant, « il y a un tableau abîmé » (p. 262), mis en abyme.

Un simple regard sur l'autre page fortifie la piste : les premiers mots du chapitre sept sont : ... « Les cendriers ». Par quoi se révèle, au milieu actif du livre, le calembour centre/cendre, le centre du tableau venant d'être rousselliennement incendié. Et ce qui suit, non moins sous le signe du verre, « et sur le bureau de Samuel les bouteilles à demi vidées », propose une scène symptomatique où se joignent « deux grands tableaux » et, comme par hasard, la faculté de « se donner une quasi-certitude de l'avenir » (p. 181). Aussi importe-t-il, à présent, comme il a été dit, de « *brûler* en pensers bizarres » (p. 115). La destruction du tableau ayant été obtenue par un feu qui vole, c'est par un feu qui vole qu'Angèle sera mise à mort : le chandelier, indirectement, que tel jeune homme sera conduit à lancer. Une fois encore la mise en abyme a d'autant mieux informé sur l'avenir que l'avenir, mis en périphérie, l'a confirmée en s'y conformant.

• **Mon commencement est ma fin ; ma fin, mon commencement.** Les mises en abyme abondent aussi, chez Robbe-Grillet. Outre *Le Voyeur*, il est facile de citer *Les Gommes*. Dès la fin du prologue, par exemple (p. 31), le rôle ultérieur de Wallas est clairement signalé. Il suffit de gommer certains détails descriptifs pour que s'articule le résumé annonciateur : « L'assassin toujours retourne (...). Un autre à sa place, pensant le poids de chacun de ses pas, viendrait, lucide et libre, accomplir son œuvre d'inéluctable justice (...) Wallas. Agent spécial. » Dans *La Maison de rendez-vous*, le rôle est dévolu, ainsi que nous l'avons montré dans « Nouveau Roman, Tel Quel » (*Pour une théorie du Nouveau Roman*), à un ensemble de statues, aux images d'un illustré. Mais ce n'est pas dans un roman que la mise en abyme est la plus agressivement sensible chez Robbe-Grillet : c'est dans un film. Shakespeare, avec *Hamlet*, l'introduit comme une scène de comédie dans une fiction théâtrale ; Robbe-Grillet, dans *L'Année dernière à Marienbad*, l'insère comme une scène de comédie dans une fiction cinématographique.

Dans le ciné-roman publié sous le même titre, le début se définit par un travelling latéral de la caméra dans la galerie vide d'un château ornementé. Le spectacle des murs, qui peu à peu apparaît, est accompagné par la voix masculine, hors champ, de X. Tandis qu'on accède à « une sorte de salle de spectacle, mais de disposition non classique » (p. 28), la voix, « plus jouée », se fait question : « Ou des dalles de pierre, sur lesquelles je m'avançais, comme à votre rencontre, — entre ces murs chargés de boiseries, de stuc, de moulures, de tableaux, de gravures encadrées, parmi lesquels je m'avançais, — parmi lesquels j'étais déjà, moi-même, en train de vous attendre, très loin de ce décor où je me trouve maintenant, devant vous, en train d'attendre encore celui qui ne viendra plus désormais, qui ne risque plus de venir, de nous séparer de nouveau, de vous arracher à moi. Venez-vous ? » Une voix féminine répond alors, du même ton un peu théâtral, hors champ : « Il nous faut encore attendre, — quelques minutes — encore, — plus que quelques minutes, quelques secondes. » Puis : « Toute cette histoire est maintenant, déjà, passée. Elle s'achève — quelques secondes... » Un contrechamp montre alors la scène qui « représente un jardin à la française », exactement copié « sur une des gravures » de la galerie du début. « Deux acteurs sont sur la scène, une femme et un homme. » C'est la comédienne qui répondait précédemment et achève la phrase : « ... encore — elle achève de se figer... ». Mais l'homme qui répond n'est pas X, le héros à venir du film, *c'est le comédien sur la scène* : « ... pour toujours — dans un passé de marbre, comme ces statues, ce jardin taillé dans la pierre —, cet hôtel lui-même, avec ses salles désormais désertes, ses domestiques immobiles, muets, morts

depuis longtemps sans doute, qui montent encore la garde
à l'angle des couloirs, le long des galeries, dans les salles désertes (...) tandis que je vous attendais déjà, depuis toujours,
et que je vous attends encore, hésitante encore peut-être,
regardant toujours le seuil de ce jardin... ». Alors la comédienne répond : « Voilà, maintenant (...). Je suis à vous. »
Les applaudissements de la salle éclatent, le rideau tombe.

Guillaume de Machault intitulait un rondeau symétrique
Ma fin est mon commencement ; Robbe-Grillet pourrait nommer son film, peut-être symétrique, *Mon commencement est
ma fin*. Tout, en effet, dans la fin du spectacle théâtral mon-
trée au début, figure, d'une évidente manière, les plans terminaux du film. Comme les deux comédiens, X et A sont
ensemble et à distance, lors d'une heure identiquement indi-
quée : « A est en train de fixer la pendule, lorsque le premier
coup de minuit résonne, rendant exactement le même son qu'à
la fin de la pièce de théâtre au début du film. A ne bouge
pas, et au second coup seulement se lève, comme un auto-
mate (...). X évolue, à une certaine distance, avec une allure
aussi tendue » (p. 171). Le décor du théâtre dessinait un jardin ; le dernier plan du film montre le jardin. Les derniers
mots, prononcés par X, reprennent le sens des derniers mots
de la pièce de théâtre : « Le parc de cet hôtel était une sorte
de jardin à la française, sans arbre, sans fleur, sans végéta-
tion d'aucune sorte... Le gravier, la pierre, le marbre, la ligne
droite y marquaient des espaces rigides, des surfaces sans
mystère. Il semblait, au premier abord, impossible de s'y perdre... au premier abord... le long des allées rectilignes, entre
les statues aux gestes figés et les dalles de granit, où vous étiez
maintenant déjà en train de vous perdre, pour toujours, dans
la nuit tranquille, seule avec moi. »

L'enseignement de la mise en abyme est ici plus ample qu'il
n'y paraît. D'un côté, elle trahit des *événements* ultérieurs :
la fin de l'aventure nous est offerte pratiquement d'emblée.
De l'autre, elle souligne les *fonctionnements* de l'ensemble :
inversion symétrique, circularité.

Inversion symétrique. A mieux lire les caractères communs
aux deux scènes, il est clair que, de l'une à l'autre, s'y
accomplit tout un jeu d'inversions. Mais ce qui se montre
là, irrécusablement, n'est en fait que le fragment d'une inver-

▼ caractères / variantes ►	FIN DU THÉATRE	FIN DU FILM
HOTEL	invisible	visible
LES DEUX PERSONNAGES	visibles	invisibles
ULTIME DESCRIPTION	hôtel	jardin
DERNIÈRES PAROLES	femme	homme
MUSIQUE	romantique	sérielle

Tableau 10

▼ caractères / occurrences ►	PREMIÈRE	SECONDE
PAROLES DES COMÉDIENS	audibles	inaudibles
DIALOGUE X - COMÉDIENNE	oui	non
DÉCORS	jardin	hôtel
PLACE DANS LA PIÈCE	fin	début
PLACE DANS LE FILM	début	fin

Tableau 11

sion symétrique de tout autre envergure. D'abord, en bonne symétrie, cette mise en abyme de *Marienbad* n'est nullement unique, inaugurale, et prospective. Elle est double et sa deuxième moitié, terminale, est rétrospective. Davantage : cette symétrie est, on le devine, l'occasion de plusieurs rapports inverses (tableau 10).

Avec la première moitié de la mise en abyme (la fin de la pièce au début du film), mon commencement est ma fin ; avec la seconde moitié (le début de la pièce à la fin du film), ma fin est mon commencement. Nul doute que ce renvoi réciproque du début à la fin et de la fin au début ne produise un effet de circularité (tableau 11).

Et cet effet s'accroît avec l'extension du renversement symétrique. Ainsi que nous l'avons montré dans notre étude « Page, film, récit » (*Problèmes du Nouveau Roman*), l'un des fonctionnements généraux de *L'Année dernière à Marien-*

▼ exemples / caractères ▶	MINÉRAL	VÉGÉTAL
PARC	gravier, pierre, marbre, statues, balustrades, dalle de granit	
GALERIE		fioritures, boiseries, rameaux, feuillage, grappe, raisin
PERSONNAGES		à diverses Reprises figés
STATUES	animées par les mouvements de la caméra	
▲ exemples / caractères ▶	MOBILITÉ	IMMOBILITÉ

Tableau 12

bad consiste à pourvoir toutes choses de caractères antinomiques (tableau 12). Remarquons-le donc : dans *L'Année dernière à Marienbad*, les choses contraires, respectivement affectées d'attributs contraires, vont en quelque façon l'une vers l'autre. Cette action sur les extrêmes, on le voit, n'est rien de moins qu'un procès d'*assimilation*. Le début et la fin de *Marienbad* tendent donc l'un vers l'autre d'une double manière. Directement, par leur similitude ; indirectement, par leur inversion porteuse d'une procédure d'identification plus générale. De la pierre qui se fait végétale au début se rapproche, à la fin, un jardin qui se minéralise. Il suffit maintenant de relire Héraclite : « Dans la circonférence d'un cercle, le commencement et la fin se confondent. »

Loin de nous informer, seulement, au début, de la fin, la mise en abyme, dans *L'Année dernière à Marienbad*, nous enseigne à lire, sous la diversité des événements, l'impérative rigueur des directives.

• **L'itinéraire mimétique.** C'est à maintes reprises que la mise en abyme se donne à lire, non moins, dans les romans

Planche anatomique

Mise au point d'un assemblage problématique
(Cl. Simon, Les Corps conducteurs).

de Claude Simon. Qu'on se souvienne du portrait fissuré de l'ancêtre, dans *La Route des Flandres*, ou de tel bas-relief dans *La Bataille de Pharsale*. Nous nous attacherons plutôt, cependant, aux *Corps conducteurs*. La mise en abyme s'y déclare en effet de manière telle que certains autres problèmes se trouvent posés.

Le dispositif du livre forme ce qu'on pourrait nommer un *assemblage problématique*. Des fragments divers appartenant à des séquences différentes s'y proposent consécutivement selon un ordre dispersé qui suscite, chez le lecteur, un désir irrépressible. Celui, peut-être de toute lecture : obtenir l'assemblage d'une figure cohérente. La multitude des éclats se lit alors comme une *mosaïque éparse* dont il importe d'obtenir le remembrement. Tout nouvel éclat s'investit donc dans le jeu selon un procès contradictoire : ajout d'un élément, il peut éventuellement former un *lien* nouveau ; interrompant, par sa venue, l'élément précédent, il en provoque la *rupture*.

Déterminer une mise en abyme dans un tel dispositif, c'est découvrir une séquence qui puisse remplir deux conditions : d'une part, faire preuve d'une cohésion suffisante pour parvenir, en dépit de la fragmentation, à une localisation assez ferme ; d'autre part, réunir une quantité probante d'analo-

▼ caractères / séquences ▶	FORÊT
BAVARDAGES	jacassement
	des oiseaux
FORÊT	dedans
FRAGMENTATION	groupe qui
	se disloque
MALADIE	rougeurs
	épuisement
MULTIPLICATION	prolifération
	végétale
TRAJECTOIRE	traversée

Tableau 13

gies avec tels aspects irrécusables du livre. Ce choix ne va pas
sans difficultés. D'emblée, une séquence s'écarte : celle, dans
une ville nord-américaine, de l'homme malade s'efforçant,
sur toute la longueur du livre, de regagner son hôtel. En effet,
elle dispose d'une ampleur maximale : elle commence avec
la première page, au début de la trajectoire (une vitrine dans
la rue), et elle se termine, en bout de course, avec les derniers mots (description microscopique de la moquette, dans
la chambre enfin atteinte). En outre, elle est faite d'une suite
de sections si diverses (disons, pour être bref, la variété des
vitrines, des passants, des spectacles successifs de la rue), que
la coagulation est loin de s'accomplir aisément. Parmi les
autres séquences, il en est une, en revanche, qui tend, avec
netteté, à mieux satisfaire aux conditions requises : c'est la
traversée de la forêt sud-américaine par un groupe de mili-
taires. En effet, bien que ses éléments s'échelonnent sur plus
de la moitié du livre, elle est nettement enclose. D'autre part,
elle s'affiche ouvertement comme un récit dans le récit : il
s'agit tantôt d'une aventure datée de plusieurs siècles (les vêtements à crevés), et tantôt, si elle connaît une variante
moderne, c'est sous l'aspect de l'image publicitaire d'un film.
Enfin, elle dispose d'une ferme unité dans la mesure où elle
offre un parfait stéréotype.

AVION	CONGRÈS	RUE
	Discours interminables	
dessus		jardin public
	délégués en désaccord	corps divisé en organes douloureux
fatigue	vomissements	vertige
entassement des nuages	assemblée	bataillon des danseuses
voyage	cheminement vers les toilettes	retour vers l'hôtel

Individualisable, ainsi, assez aisément, cette séquence assemble bien, en outre, en leur diversité, plusieurs caractères des différentes autres qui viennent donc, d'une certaine manière, y trouver image. Pour omettre l'excès des subtilités et l'afflux des détails, contentons-nous d'offrir, alphabétiquement, un succinct tableau schématique (tableau 13).

Une fois encore, par conséquent, la mise en abyme assume une fonction révélatrice. Le rassemblement dont elle procède suscite ce qu'on pourrait nommer un *effet de répertoire*. Ce qui se trouve épars et divers, y tend à se joindre et se confondre. La dispersion se métamorphose en convergence ; l'éparpillement s'ordonne en une hiérarchie où s'accrédite l'instance commune d'une dominante clandestine. Le rapport de l'externe et de l'interne que permet la forêt, puisqu'on la survole et puisqu'on la traverse, tend à s'associer à l'idée de fragmentation jusqu'à produire une hantise de l'ablation chirurgicale. Le bavardage, comme surabondance de langage, confirme l'idée de prolifération, laquelle, jointe aux insistantes occurrences du crabe, insinue l'angoisse du cancer, évoquée dès les premières pages, comme par accident : « Il n'en subsiste que quelques fragments énigmatiques, parfois impossibles à compléter, permettant d'autres fois une ou plusieurs interprétations (ou reconstitutions) comme, par exemple, ABOR (lABOR, ou ABORto, ou ABORecer ?), SOCIA (SOCIAlismo, ou aSOCIAcion ?) et CAN (CANdidato, CANibal, CANcer ?) » (p. 33). Dès lors, la trajectoire, poursuivie en dépit des épreuves, met en jeu un impérieux sousjacent désir de survie. Ainsi, par le biais de la mise en abyme, tendent bien à s'unir selon un scénario unitaire, mille traits que l'ensemble du texte dispersait dans son poudroiement.

• **Une certitude contredite.** Mais c'est dans maints autres ouvrages que la mise en abyme pullule, accompagnée quelquefois de reflets un peu différents par lesquels l'écrit se désigne lui-même. Dans *L'Observatoire de Cannes*, le méthodique strip-tease minutieux prolongé sur deux chapitres répercute la kyrielle des déshabillages et dévoilements de toutes sortes que le livre à plaisir multiplie, qu'il s'agisse de jeunes femmes ou de paysages touristiques. Ainsi enseigne-t-il, à sa façon, sur le fonctionnement de la description qui forme, selon l'heureuse remarque de Vinci, une *découverte par*

dcgrés. Dans *La Prise de Constantinople*, le multiple mimo-
drame qui occupe les huit chapitres de la partie centrale minia-
turise bon nombre des dispositifs du roman tout entier. Par
exemple : la répétition avec une constante d'irrégularité,
l'alternance réglée du masculin et du féminin, les microcy-
cles du récit, le livre dans le livre, l'assimilation des mouvements guerriers et des gestes érotiques travaillant à l'une
parmi les « déterminations pubiennes » de l'emplacement
constantinopolitain. Mais c'est sur *Les Lieux-dits* que nous
nous proposons plutôt d'insister. A double titre : parce que
ce roman immerge la mise en abyme dans un plus vaste jeu
de reflets, et parce que certains de ces mécanismes se gref-
fent en quelque sorte les uns sur les autres.

Ce que cet ouvrage paraît sans cesse requérir, en effet, ce
sont des arrangements qui lui permettent selon des modalités diverses, et parfois de façon subreptice, de signaler certains aspects de lui-même. Et cela surgit dès la première
phrase, « A peine franchie, sous les nuées, cette sombre ligne
de faîte, tout le pays, en contrebas, dispense des reflets », où
il semble possible d'apercevoir le cumul d'au moins trois auto-
désignations. Avec la première, c'est l'écrit lui-même qui se
représente : « les nuées » répercutent le blanc du papier en
haut de la page initiale, et « la sombre ligne de faîte », la première ligne au sommet de l'écrit. Avec la seconde, c'est un
des aspects du récit qui se figure : le conflit linguistique oppo-
sant ceux pour qui les choses sont à l'origine des mots et ceux
pour qui les mots sont la provenance des choses. En effet,
dans la mesure où la ligne de faîte représente la première ligne
inscrite, elle livre cette leçon : *c'est du haut de l'écrit qu'apparaissent les choses*. Avec la troisième, c'est l'écrit, en tant qu'il
se... réfléchit lui-même, qui se trouve évoqué : « tout le pays,
en contrebas, dispense des *reflets* ».

Mais si les reflets se multiplient avec une si vive intempé-
rance, c'est peut-être pour atteindre à un second degré du
fonctionnement. Nous le savons : lire, c'est explorer les relations spécifiques par lesquelles sont liés les éléments d'un
texte. Voilà pourquoi, à la limite, un livre qui ne résiste pas
ne mérite guère lecture : avant même d'en avoir parcouru
quelques pages, le lecteur sait qu'il l'a déjà lu en totalité. Or
certains textes, dont l'ensemble forme sans doute ce qu'on

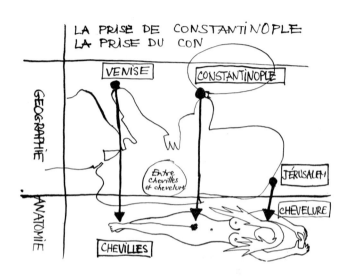

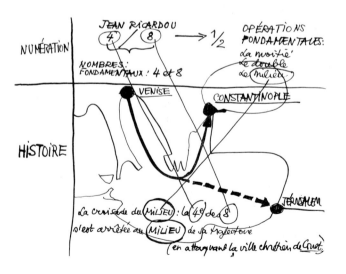

appelle littérature, paraissent offrir une résistance toujours renaissante, prometteuse, à chaque fois, d'un nouvel ordre à établir. On dit communément qu'ils sont inépuisables ; leur fécondité est proportionnelle au nombre des lectures qu'ils permettent. Or cette fécondité concerne deux domaines : celui de la *lecture multiple*, celui de la *lecture relancée*. La première est bien connue : toujours le texte se relève de la lecture qui lui a été appliquée en donnant matière à quelque nouvelle autre. La seconde est un peu moins remarquée : toujours le texte se prolonge dans la lecture qui lui est appliquée, en donnant matière à sa relance. Tout se passe, en ce cas, comme si les fonctionnements ne se donnaient à lire que pour produire, dans un mouvement réitéré, la venue de greffes multiples.

Toutefois, il est facile de l'apercevoir, ce domaine est double. Un fonctionnement peut être une nouvelle fois travaillé par le même fonctionnement : c'est le secteur des *iso-fonctionnements* ou, si l'on préfère, celui de l'approfondissement fonctionnel. Mais le fonctionnement peut aussi être travaillé par un autre fonctionnement : c'est le secteur des *hétéro-fonctionnements* ou, si l'on préfère, celui de la contradiction fonctionnelle. Telles régions de la logique textuelle paraissent avoir été spécialement élaborées par *Les Lieux-dits*.

L'approfondissement fonctionnel est sensible dans la première phrase. Nous l'avons vu : le second reflet ne peut advenir que parce que l'écrit, d'abord, a permis le premier, qui a fait lire la ligne initiale comme une description... d'elle-même. Quant au troisième miroitement, dans la mesure où il définit le pays comme dispensateur de reflets, c'est-à-dire comme une image du texte lui-même, il en autorise par iso-fonctionnement un quatrième, qui n'est rien d'autre que l'adverse thèse du conflit linguistique faisant une spécieuse contre-attaque : *c'est par le biais des choses que l'on voit le texte*. Et tout porte à croire, en ce qui concerne cette phrase, que le processus de greffe n'est pas fini...

La contradiction fonctionnelle s'accomplit avec ce qu'on

Une autre « détermination pubienne » de Constantinople
*(*La Prise de Constantinople*).*

pourrait nommer *la fausse mise en abyme*. A la fin du second
chapitre s'inscrit tout un dispositif de reflets internes, ayant
pour objet, selon cette fois le principe effectif de la mise en
abyme, d'autres parties de la fiction même. C'est une gravure ancienne d'abord, dont l'image, évoquant une chambre avec lit à baldaquin, est marquée d'un érotisme violent :
« Tandis que, ployée à la renverse, la victime essayait avec
la main gauche de rouvrir le loquet de la porte close, repous-
sait de la main droite, mais avec une délicatesse équivoque,
le torse de l'assaillant, l'homme entourait du bras gauche la
taille soumise, fermait posément la targette avec sa main
droite et, d'une pression des lèvres ouvertes sur le cou, obli-
geait, prise de vertige, la tête de la jeune femme à s'abandonner en arrière » (p. 42). Puis c'est une tapisserie dont
l'image, dessinant une chambre avec lit à baldaquin, est
empreinte d'un érotisme compassé : « Droite jusqu'à la rai-
deur, les yeux ouverts, la dame faisait face, laissant son bras
droit le long du corps et abandonnant la main gauche à son
ami. Celui-ci, le profil perdu, baisait avec dévotion le sein
gauche que lui accordait le corsage soigneusement ouvert »
(p. 43). Alors se produit ce qu'il faut nommer une *mise en
périphérie conjuguée*. Le mécanisme comporte deux étapes :
d'une part, les deux images précédentes se superposent ;
d'autre part, c'est à partir de leur *résultante* que toute une
scène va se déduire. Cette résultante conserve évidemment
les éléments communs (le baldaquin, le rapport érotique) et
compose, à partir des éléments opposés (le violent, le
compassé), leur intermédiaire : une situation ambiguë. Ainsi
se disposent deux mannequins, près « d'un superbe lit à dais »,
dans la vitrine de tel antiquaire : « Sa chevelure noire retom-
bait aujourd'hui sur l'épaule ; son visage se levait, les yeux
interrogateurs, vers l'homme qui, debout, la dominait de sa
haute taille, l'observait avec assurance. Peut-être avait-elle
accepté qu'il s'approchât d'elle jusqu'à poser une main sur
son épaule gauche, et l'autre dans ses cheveux » (p. 44).
   Or, ensuite, le lecteur attentif reçoit deux informations.
Premièrement : l'hôtel d'une bourgade des environs a recons-
titué la chambre présentée dans la vitrine de l'antiquaire.
Deuxièmement : les deux jeunes gens qui se sont rencontrés
dans les pages précédentes ont décidé de s'y rendre. Comme

il a noté la multitude des mises en abyme ou en périphérie, comme il en a remarqué la fonction révélatrice, le lecteur sait d'avance, d'une certaine façon, tout ce qui doit se passer, ultérieurement, dans cette chambre. Mais, précisément, prise dans d'autres dispositifs qu'il n'y a pas lieu d'analyser ici, cette future scène entre les deux jeunes gens, quoique soumise à l'érotisme et à la violence, *ne s'accomplira aucunement selon le schéma que toute une part du livre permettait de supposer.* Le fonctionnement greffé sera donc bien un hétérofonctionnement. Loin d'y jouer un rôle révélateur, la mise en abyme aura permis son contraire, le *mirage analogique*, avec une fonction inverse : celle du *leurre*.

2.3.3. La mise en abyme antithétique

Mais, nous l'avons noté, c'est aussi en ce qu'elle est foncièrement antithétique que la mise en abyme conteste le récit. En effet, bien qu'on ne l'ait peut-être point trop remarqué, *toute mise en abyme contredit le fonctionnement global du texte qui la contient.*

Le texte tend-il vers l'*unité* en proposant un récit unique ou un groupe de récits unitaires hiérarchisés sous l'un d'eux ? La mise en abyme opère à contre-courant. Il se passe alors « assurément un fait étrange », Hugo l'avait entrevu : « l'unité coupée en deux ». Si elle se multiplie, la mise en abyme conteste cette unité postulée, en la soumettant à la relance infinie de scissions toujours nouvelles. Car la mise en abyme *ne redouble pas* l'unité du texte, comme pourrait le faire un reflet *externe*. En tant que miroitement *interne*, elle ne peut jamais que la *dédoubler*. Tout la porte à mettre en cause l'unité du récit en la foisonnante multitude d'une foule de semblables, au-delà de la ressemblance desquels ce sont mille diversités qui se trouvent subrepticement introduites. La gravure rupestre dans *La Mise en scène*, la toile de Martin de Vere dans *Passage de Milan* ne deviennent mise en abyme que dans l'exacte mesure où elles commencent à s'évader du strict emplacement qu'elles occupent dans leur récit respectif en tant que l'un de ses éléments et vont vers une autonomie relative en tant qu'elles permettent chacune davantage :

Recherche pour la mise en affiche (cinéma, cirque)
dans Triptyque.

un récit parallèle et semblable. En somme, tel élément ne se met jamais en abyme qu'en nouant avec le texte une relation de similitude *par laquelle il se dégage proportionnellement de son assujettissement local.* Ou, si l'on préfère, *la mise en abyme tend à briser l'unité métonymique du récit selon une stratification de récits métaphoriques.*

À l'inverse, le texte se donne-t-il comme *morcellement* selon une suite fragmentée de récits incertainement articulés ? La mise en abyme opère à contre-courant. Dans la mesure où elle procède par similitude et réduction, elle multiplie les ressemblances et les rassemblements. Diminués par leur dispersion, tels événements se confortent (parce que la mise en abyme les répète) et ils peuvent s'articuler (parce qu'elle les rapproche). Ainsi, dans *Les Corps conducteurs*, l'idée de trajectoire s'accrédite surtout avec la séquence typique de la forêt, laquelle souligne, en sa répétition, les divers autres trajets plus violemment morcelés. *La mise en abyme tend à restreindre l'éparpillement des récits fragmentaires selon un groupement de récits métaphoriques.* Tel est son rôle antithétique : l'unité, elle la divise ; la dispersion, elle l'unit.

2.4. Le récit dégénéré

Nous l'avons noté : la mise en abyme appartient à un domaine plus vaste, celui des similitudes textuelles. C'est à ce niveau de généralité qu'on peut maintenant saisir une nouvelle contestation du récit unitaire.

2.4.1. Par les générateurs, la dégénérescence

Qu'est-ce en effet qu'un récit unitaire ? Nullement une unité simple, mais une *diversité subsumée* : un ensemble varié d'événements qu'assemble, avec fermeté, un solide principe unificateur. En leur multitude, les différentes aventures d'Ulysse tendent, dans l'*Odyssée*, à s'unifier sous la sûre emprise d'un héros principal. En raison de son aptitude antithétique universelle, la similitude attaque le récit unitaire à ses deux niveaux. L'*unité* est contestée par *scissiparité* : le récit du meurtre de Lessing, nous l'avons vu, ne s'accomplit, dans *La Mise en scène*, que dans la mesure où intervient le récit parallèle sur la pierre gravée. La *diversité* est contestée par *assimilation* : active en ce livre, la similitude restreint la multiplicité des personnages en les faisant se ressembler, certains jusqu'à l'identification ; Lassalle finit, en quelque sorte, par devenir Lessing.

En somme, la pratique assidue de l'analogie textuelle met en cause la dimension référentielle sur laquelle, nous l'avons souligné (2.2.5.), le récit s'appuie *pour faire illusion*. Que des lieux, des événements, des personnages cessent chacun d'afficher une singularité comparable à celle qu'offre « la vie même », pour se mettre à respectivement se ressembler, et l'attention du lecteur, loin de rester soumise à l'illusion de représentation, est attirée sur la manière selon laquelle ces lieux, ces événements, ces personnages sont engendrés, respectivement, les uns à partir des autres. Ce qui surgit alors, c'est ce que nous avons appelé dans « La bataille de la phrase » (*Pour une théorie du Nouveau Roman*) une opération génératrice. Ici, évidemment, une très lisible opération par similitude. *La fascination qu'exercent les aventures d'un récit est inversement proportionnelle à l'exhibition des procédures génératrices.* Ou, si l'on aime mieux, pour parodier quelqu'un : un récit dégénère qui montre un seul instant comment il se génère.

Toutefois un peu plus de minutie montre que les contestations de la similitude sont d'une tout autre ampleur.

2.4.2. Transits analogiques

Pour les faire paraître, il faut prendre le soin de certaines remarques préalables.

• **Variantes et similantes.** La similitude peut unir divers ensembles de façon majoritaire ou minoritaire. Avec la première, ou macro-similitude, c'est l'Autre qui travaille le Même. La part d'analogie entre les deux ensembles étant majoritaire, ce qui se remarque, en eux, ce sont les *différences*. La macro-similitude engendre les *variantes*. Avec la seconde, ou micro-similitude, c'est le Même qui travaille l'Autre. La part d'analogie entre les deux ensembles étant minoritaire, ce qui se remarque, en eux, ce sont les *ressemblances*. La micro-similitude engendre ce que nous nommerons les *similantes*. Similantes et variantes suscitent un même phénomène : les perturbations transitaires. Mais comme leurs effets diffèrent, nous les étudierons séparément.

• **Transit masqué, transit accusé.** Nous appellerons *séquence* tout ensemble d'événements supposés sans hiatus, et *transit* tout changement de séquence. Passer d'une séquence à l'autre, c'est traiter le hiatus qui les sépare. Cette lacune, le texte peut la travailler par deux biais : soit en la formulant, soit en la passant sous silence. Et, chaque fois, l'effet est paradoxal.

Formuler le hiatus, c'est moins le montrer que l'escamoter. Si fréquente, la formule « huit jours après » semble insister, en l'évaluant, sur la fissure qui sépare deux séquences ; mais, en fait, tout son travail consiste à remplir le vide en décrivant l'intervalle, à donner une substance à la béance. Bref à substituer une arche à un abîme : *c'est une procédure de continuité.*

Passer le hiatus sous silence, c'est moins l'escamoter que l'accuser. Loin de recevoir entre elles le tampon de quelques mots intermédiaires, les deux séquences jointes restent séparées par un vide abrupt que le texte ne franchit qu'en les entrechoquant : *c'est une procédure de discontinuité.*

• **Transits micro-analogiques.** Cette dernière pratique est fréquente dans le Nouveau Roman. Elle opère en faisant notamment agir les micro-similitudes. Nous le savons bien : la similitude est une manière de rapprocher les choses. La langue souligne clairement cette aptitude, en ouvrant respectivement aux mots *voisin* et *proche* un double champ sémantique : celui de la similitude, celui de la contiguïté. Deux cas, cependant, doivent être distingués. Supposons deux similantes S_1 et S_2, faites chacune, pour leur part, d'événements contigus. Leur mise en contact sur la ligne s'obtiendra à partir du rapprochement de leurs éléments similaires (figure 14). Nous appellerons ce procès un transit micro-analogique *actuel* dans la mesure où il est accompli par l'*écriture* qui configure ainsi le texte noir sur blanc. En somme, il s'agit d'une *machine actuelle à rompre le fil des événements.* A tout instant, une séquence S_1 peut être rompue par l'intempestive venue d'une séquence S_2 : il suffira, selon le mot de Proust, du « miracle d'une analogie ».

Toutefois, si une micro-similitude peut mettre en contiguïtés deux séquences, une contiguïté peut mettre en valeur des micro-similitudes. Supposons deux similantes S_3 et S_4, articulées en continuité par quelque formule opérant une contiguïté fallacieuse en évoquant, comme on l'a vu plus haut, le hiatus (figure 15). Ce qui tend alors à se produire, c'est une mise en contact des éléments similaires, par laquelle

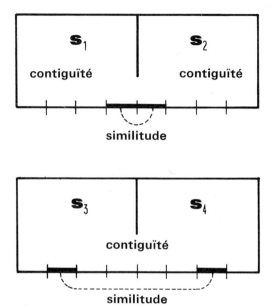

Figures 14 et 15

la continuité des événements est rompue, selon un retour en arrière instantané. Nous appellerons ce procès un transit micro-analogique *virtuel* dans la mesure où il est accompli par la *lecture* qui configure ainsi le texte : virtuellement. En somme, il s'agit d'une *machine virtuelle à raccourcir le fil des événements*.

Bien sûr, si une séquence forme ce qu'on devrait nommer une similante interne, c'est-à-dire porteuse de micro-similitudes intérieures, elle sera, selon la même procédure d'accordéon, en quelque façon *repliée*.

2.4.3. Opérations transitaires simples

Qu'elle suscite une transition actuelle ou virtuelle, l'opération analogique peut porter sur des segments textuels d'amplitudes inégales. Appliquée à un seul mot, elle sera sim-

ple en ce qu'elle opérera au seul plan lexical ; appliquée à une
proposition, à une phrase, à un paragraphe, elle sera complexe en ce qu'elle combinera ses actions au moins aux plans
lexical et syntaxique. Nous nous bornerons ici au premier
domaine, en signalant, pour le second, notre étude « L'énigme
dérivée » (*Pour une théorie du Nouveau Roman*).

On le devine, l'opération transitaire simple comporte plusieurs espèces. C'est que la base à partir de laquelle elle agit,
le mot, dispose de deux faces : un signifiant, un signifié. A
chaque fois que s'établit, à l'un au moins des deux niveaux,
une ressemblance stricte (Iso) ou partielle (Homo), un transit peut s'accomplir (tableau 16). Qu'elles permettent un transit actuel ou un transit virtuel, les exemples de la plupart de
ces opérations abondent dans le Nouveau Roman.

• **La répétition.** Elle pourrait se nommer refrain. Quand
le transit est actuel, c'est avec la répétition du même mot que
le récit bifurque vers une autre séquence. Pinget, dans *Le
Libera*, emploie couramment ce procédé. Citons l'une des dernières occurrences : « Bref in articulo depuis toujours parmi
fleurs et couronnes, le Libera et autres litanies modulé in petto
depuis des années nous trouvant blottis dans la *bière* au lieu
de la livraison du jour, vous voyez ce que je veux dire. / Et
à propos de la famille qui n'arrivait pas bloquée avec la *bière*
dans un embouteillage » (p. 219). Mais on le rencontre aussi
chez Simon : « Les parois intérieures de la cuve sont recou-
vertes d'une longue mousse verte dont les brins flottent horizontalement, agités parfois par les faibles mouvements de

RELATION	OPÉRATION
Iso-Sa/Iso-Sé	répétition
Iso-Sa/Homo-Sé	polysémie
Iso-Sa/Hétéro-Sé	homonymie
Homo-Sa/Hétéro-Sé	paronymie
Hétéro-Sa/Iso-Sé	synonymie stricte
Hétéro-Sa/Homo-Sé	synonymie approximative
Homo-Sa/Homo-Sé	paronymie synonymique

Tableau 16

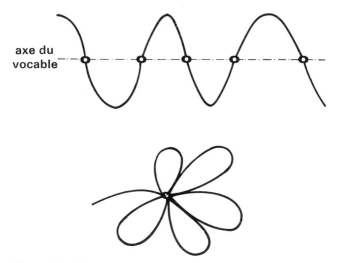

axe du
vocable

Figures 17 et 18

l'eau que fait naître le jet. Son exubérance végétale *contraste* avec la surface *lisse* de la pierre. / L'épaisse toison noire où le membre luisant continue son va-et-vient *contraste* avec la blancheur *lisse* des fesses et des cuisses » (*Triptyque*, p. 16). Et, non moins chez Robbe-Grillet : « Une nouvelle image agrandie, fixe cette fois, de la même source lumineuse, *le même fil* incandescent. / C'est encore *le même fil*ament, celui d'une lampe identique ou à peine plus grosse, qui brille pour rien au carrefour des deux rues » (*Dans le labyrinthe*, p. 16).

Quand le transit est virtuel, le récit, répétant de proche en proche le même mot, peut se figurer par une sinusoïde de période irrégulière astreinte à recouper l'axe virtuel du vocable répercuté (figure 17). Le transit transforme alors chaque segment ouvert de la sinusoïde en une boucle, et l'ensemble tend vers un dispositif en trèfle ayant pour centre le vocable redit (figure 18). Certes le texte est plus complexe. Comme il met toujours en jeu plusieurs axes répétitifs, il superpose virtuellement une multitude de trèfles enchevêtrés. Quant aux vocables axiaux, ils sont des plus variés.

Dans *Le Voyeur*, Robbe-Grillet a particulièrement travaillé le huit : « Un signe en forme de *huit* » (p. 16), « Le signe en forme de *huit* creusé dans la pierre. Comme il venait de faire cette constatation, il aperçut environ à un mètre du premier et à la même hauteur, un second dessin en forme de *huit* couché » (p. 21), « La pelote de ficelle roulée en forme de *huit* » (p. 40), « Le bout de cordelette roulée en forme de *huit* » (p. 42), « Le palier n'était pas assez clair pour qu'il pût distinguer si la peinture imitait les veines du bois ou bien des lunettes, des yeux, des anneaux, ou les spires en forme de *huit* d'une ficelle roulée » (p. 66), etc.

Dans *Le Maintien de l'ordre*, Ollier a notamment repris le terme *voiture* : « Des *voitures* sont rangées » (p. 23), « La grosse *voiture* noire est là » (p. 23), « Marietti (…) fait demi-tour et revient garer la *voiture* » (p. 25), « Ils sont restés quelques minutes sous le porche, puis ont reparu marchant sur le trottoir et ont regagné à pas comptés la *voiture* » (p. 26), « De l'avenue montaient les voix des promeneurs, le ronronnement des *voitures* » (p. 27), etc.

Dans *Le Libera*, c'est, parmi bien d'autres, l'Argentine : « Dommage ajoutait madame Monneau qu'on ne puisse pas interroger la sœur, elle est en *Argentine* » (p. 19), « Oui bon débarras, sa sœur d'*Argentine* ou de je sais où est revenue au pays » (p. 27), « Si bien que sa sœur ne pouvant revenir d'*Argentine* elle a eu tout loisir de s'arranger avec le notaire » (p. 28), « Quand je pense à mon autre fille, ça doit être encore pire la pauvre petite, celle qui est en *Argentine* » (p. 48), « Elle s'était brouillée avec sa sœur à propos du partage puis s'est engagée comme infirmière dans une mission pour l'*Argentine* ou ailleurs » (p. 58), « Elle a pris ce genre depuis son retour d'*Argentine* » (p. 62), « Il s'embarque avec le fils Pinson pour cette chose du gouvernement en *Argentine* ou ailleurs » (p. 66), « Cette fabrique de pâtes alimentaires en *Argentine* ou ailleurs » (p. 67), etc.

Dans *Martereau*, Nathalie Sarraute écrit de façon insistante, de séquence en séquence, le verbe frétiller : « quand elle *frétille* imperceptiblement » (p. 7), « elle *frétille* doucement » (p. 10), « nous *frétillons* devant lui gentiment » (p. 28), « il ploie, se redresse, avance, recule, *frétille*, se tend » (p. 53), désigne Lady Ava du regard, lorsqu'elle ajoute : « Maintenant, vous allez danser encore une fois avec lui. » La jeune femme au teint rose de poupée se tourne alors elle aussi, mais comme à regret, ou avec une sorte d'appréhension, vers le personnage en smoking noir, qui, un peu en retrait, de profil, regarde toujours vers les rideaux fermés, comme s'il attendait — mais sans y attacher beaucoup d'importance — que quelqu'un surgisse tout à coup de l'invisible fenêtre.

Tout à coup le décor change. Lorsque les lourds rideaux fermés, glissant avec lenteur sur leurs tringles, s'écartent pour le tableau suivant, la scène du petit théâtre représente une sorte de clairière dans la forêt, où les familiers de la Villa Bleue reconnaissent aussitôt la disposition générale du divertissement qui a pour titre : « L'affût ». La place et la posture des personnages vient d'être décrite, parmi la collection des bibelots ornant le salon de glace, ou à propos du jardin, ou bien d'autre chose. Cependant, il ne s'agit pas ici d'un tigre mais de l'un des grands chiens noirs de la maison, rendu plus gigantesque encore par un habile effet d'éclairage, et, sans doute aussi, à cause de la petite taille de la jeune maîtresse qui tient le rôle de la victime. (Il s'agit vraisemblablement de cette fille, achetée quelque temps auparavant à un intermédiaire cantonais, ⚫ dont il a déjà été question) L'homme qui joue le chasseur n'a pas de bicyclette, cette fois, mais il tient à la main une grosse laisse de cuir tressé ; et il porte des lunettes noires. Il est inutile d'insister davantage sur cette mise en scène que tout le monde connaît. La nuit est très avancée, une fois de plus, déjà. J'entends le vieux roi fou qui arpente le long couloir, à l'étage au-dessus. Il cherche quelque chose, dans ses souvenirs, quelque chose de solide, et il ne sait pas quoi. La bicyclette a donc disparu, il n'y a plus de tigre en bois sculpté, pas de chien non plus, pas de lunettes noires, pas de lourds rideaux. Et il n'y a plus de jardin, ni jalousies, ni lourds rideaux qui glissent lentement sur leurs tringles. Il ne reste à présent que des débris épars : fragments de papiers aux

Le répétitif : « la Maison de rendez-vous ».

« les deux amies très genre petites amies de pension, toutes craintives et *frétillantes* » (p. 68), etc.

A la manière de Proust, plusieurs Nouveaux Romanciers se sont plu à obséder le texte avec une couleur. Le rouge, ainsi, est spectaculairement actif dans *Passacaille* de Pinget, *La Mise en scène* d'Ollier, *Les Lieux-dits* où je l'ai fait jouer avec le bleu, *Projet pour une révolution à New York* où Robbe-Grillet l'oppose au noir. Butor multiplie le bleu dans *Passage de Milan* : « Le costume *bleu* marine de Louis » (p. 31), « Un paquet neuf de cigarettes *bleues* » (p. 34), « Il doit y en avoir dans la grande boîte *bleue*. Martine, attrape-moi la grande boîte *bleue* » (p. 35), « Un tablier à carreaux *bleus* » (p. 37), « Celle-ci, rougeâtre, ira bien avec ton costume *bleu* » (p. 37). Et Simon, le jaune, dans *La Bataille de Pharsale*. Pour ma part, dans *L'Observatoire de Cannes*, j'ai travaillé deux axes couplés, le vert et le blanc : « Le front, le nez, la joue — les deux lèvres, roses —, le menton et le cou, bronzés, se détachent sur la moleskine *verte* selon un profil très pur. Le corsage en nylon *blanc* (...). Un pantalon aux fines rayures *vertes* et *blanches* alternées » (p. 12), « Un tissu à petits carreaux *verts* et *blancs* » (p. 30), « Le pantalon rayé de fines lignes *vertes* et *blanches* alternées » (p. 31), « Le pantalon aux fines rayures *vertes* et *blanches* » (p. 37), « Triangles découpés dans un tissu à carreaux *verts* et *blancs* » (p. 42), etc.

• **La polysémie.** Quelquefois, ce qui travaille, c'est le même mot, mais indiquant, d'une séquence à l'autre, divers aspects de son champ sémantique. Dans *La Bataille de Pharsale*, par exemple, telle phrase passe du révolu au stagnant : « Latin langue *morte*. / Eaux *mortes* » (p. 18), et Robbe-Grillet, dans *Le Voyeur*, fait sauter le récit du rapide au vivant : « Parfois ça s'éboule dans ces coins-là. Faut faire attention où on pose les pieds. — Pour ça, craignez rien : elle est *vive / Vive*. Elle était. *Vive*. Vivante. Brûlée *vive* » (p. 120).

Cette polysémie se disperse aussi dans l'espace des séquences et provoque des transferts virtuels. Dans *Le Maintien de l'ordre*, Ollier note : « Le mur de clôture du club *bouliste* » (p. 22) et « Les *boules* rondes des acacias dissimulent une partie du trottoir de la chaussée » (p. 23). Dans *La Prise de Constantinople*, j'ai proposé : « Alors les *croisés* pillent la ville » et trois pages plus loin : « Serge (…) va vers l'autre porte cher-cher le troisième acteur Blaise et le conduit au canapé bleu, dans la pénombre, entre les deux *croisées* ». Dans *Le Voyeur*, Robbe-Grillet écrit : « Le voyageur n'avait pas plus effectué ce détour par le *moulin* que celui de la ferme » (p. 116) et « Le bruit du *moulin à café* cessa brusquement » (p. 117). Dans *Triptyque*, Simon évoque des insectes, puis un détail vestimentaire : « Deux *papillons* blancs se poursuivent » (p. 15) et « le nœud *papillon* noir qui ferme le col » (p. 19).

• **L'homonymie.** Nul livre, davantage que *Mobile*, qui obtienne si régulièrement des transits actuels à partir des homonymies. Sans doute ce volume de Butor ne porte-t-il pas sur la couverture l'indication *roman*. Mais aucun doute que ce texte, à sa façon, travaille les problèmes du récit qui nous occupent. S'agit-il de passer d'une séquence à telle autre ou, si l'on préfère, de l'un à l'autre des états de l'Union ? Il suf-fit que le premier État contienne une ville ayant le même nom qu'une autre ville de tel autre État. Alors, le transfert est ins-tantané. Ainsi de « nuit noire à CORDOUE, ALABAMA, le profond Sud » (p. 7) à « nuit noire à CORDOUE, ALASKA, l'extrême Nord, l'extrême proximité de l'effroya-ble, l'abominable, l'inimaginable pays où il est déjà lundi tan-dis qu'ici il est encore dimanche » (p. 8).

Quant aux transits virtuels, retenons, par exemple, dans *Triptyque*, comment une séquence de l'étincelant Midi, rom-pue par une incursion du Nord pluvieux, se ressoude virtuelle-ment par un jeu sur le chemin et sur la parole : « Les arbustes exotiques aux feuilles semblables à des sabres, aux grappes de fleurs blanches, qui ornent le terre-plein entre les deux *voies*. / La pluie crépite toujours. La machine crache maintenant à intervalles plus rapprochés ses nuages de vapeur grisâtre, jaunes quand elle passe devant un réflecteur, s'arrê-tant, repartant à reculons, prenant peu à peu de la vitesse. / La *voix* s'élève de nouveau… » (p. 58). Ou, encore, dans *La Prise de Constantinople* : « Les *tours* régulièrement espa-cées » et, trois pages plus loin : « Blaise va vers l'autre porte chercher Laurent, le conduit au canapé bleu, près de Serge et d'Alice, entre les deux croisées, puis s'assied à son *tour*. » Or, ainsi que nous l'avons montré dans « L'énigme dérivée » (*Pour une théorie du Nouveau Roman*), l'homonymie qui associe la tour et le tour foisonne dans les premières pages de *La Mise en scène*. Nous assistons là, en fait, à l'une des multiples liaisons analogiques qui unissent le premier roman d'Ollier et mon second livre. Ce qui a été appelé ailleurs la chaîne des textes peut donc également se penser, plus précisément, comme un *transit virtuel intertextuel*.

Davantage, dans la mesure où il s'efforce de montrer les procédures communes aux divers Nouveaux Romans, le présent livre tend à mettre en place, entre eux, un incessant croisement de transits virtuels intertextuels. Il est en somme une machine qui permet l'accomplissement d'un souhait implicitement inscrit dans le fonctionnement de ces textes. Mais revenons à l'intratextualité.

• **La paronymie.** Si l'homonymie est plutôt le domaine du calembour, la paronymie serait une extension de la rime et de ce que Saussure nommait l'hypogramme. Les transits paronymiques actuels abondent également dans les Nouveaux Romans. Nous avons déjà signalé comment, dans *Passage de Milan*, le basculement de la première moitié du livre à l'autre se fait autour du rapport *centre / cendrier*. Nous rencontrons d'évidentes rimes dans *Le Libera*, avec, par exemple : « L'enfant devenu jeune homme et son apprentissage terminé s'exilait à Paris pour des raisons que les parents n'arrivaient pas à comprendre et dès lors ne donnait plus de nou*velles*, il y avait là matière à réflexion. / Donc oui, comme les hôtes de mademoi*selle* Ariane… » (p. 185). Ou dans *Triptyque* : « Le membre de l'homme encore raidi et couronné d'une fraise rouge étrangement blanc lui aussi, dardé hors de la *braguette* du pantalon. La femme parvient la première à se relever et cherche à remettre sur pied son compagnon qui se cramponne farouchement à elle, marmonnant un flot de jurons, oscille, et, partant brusquement de côté comme un crabe, le couple trébuche et s'étale de nouveau dans la boue. A sa place, une musique douce se déverse par le vasistas de la cabine de projection. Les inflexions accompagnent en sourdine les chutes successives et les mouvements maladroits des deux silhouettes qui se débattent au fond de l'impasse —, comme / ces morceaux exécutés pianissimo dans les cirques, conduits par la *baguette* distraite du chef » (p. 61).

En fait, le plus souvent, le transit s'appuie sur un phénomène complexe qui associe plusieurs des opérations que nous venons de dégager. Parfois, c'est la même opération qui agit coup sur coup. Ainsi, dans le passage suivant du *Voyeur*, *fillette* est lié à ficelles et à cordelettes tandis que *cordelettes* s'attache à fillette et à corps : « la boîte à chaussures où il rangeait sa collection de *ficelles* et de *cordelettes*. / Le *corps* de la *fillette* fut retrouvé » (p. 174). Quelquefois, l'événement se joue sur un groupement de lettres, selon ce qu'on pourrait nommer une *allitération transitaire* : « Un roulement lointain, assourdi, que le flanc de l'île des *Sels* répercute. A tâtons, toujours, un livre est choisi. Serge *l*'ouvre d'un *seul* coup, au hasard. / Élu pape en 1198, Innocent III considère comme un devoir de reconquérir les *Saints Lieux* » (*La Prise de Constantinople*).

Éparse à l'intérieur des séquences, la paronymie autorise en maints lieux des transferts virtuels. Dans *L'Échec de Nolan*, par exemple, Ollier dispose deux syllabes voisines, d'ailleurs associées au passage d'un nom (Morel) à un autre (Nolan) : « Un retard de la correspondance à *Mö* ? » (p. 20) et : « L'hypothèse où les deux machines de fabrication soviétique se seraient croisées sur le tronçon commun, celle de Jorgensen quittant *Nö*, celle de son hôte l'atteignant » (p. 21). Dans *Le Libera*, Pinget accumule les prénoms qui riment : « Jamais elle ne confierait les siens, je parle d'*Odette*, à n'importe qui » (p. 121), « et *Henriette* surtout avec sa nature difficile » (p. 122), « *Monette* avait porté *Henriette* » (p. 124), etc. Dans *La Jalousie*, on pourra noter cette série : « Les *criquets* se sont tus, eux aussi. On n'entend plus, çà et là, que le *cri* menu de quelque carnassier nocturne » (p. 99), et « A..., dans la chambre, rabaisse le visage sur la lettre qu'elle est en train d'*écrire* » (p. 101). Évidemment, cette lecture attentive à la lettre peut aussi bien composer que décomposer les mots. Notons ainsi, en passant, une mise en abyme clandestine : cri menu ou, plutôt, *crime nu*, soit l'ultra résumé de la scène qui hante le livre. Dans *La Prise de Constantinople*, les lettres S et L assemblées parfois se dispersent ailleurs en « Lucky Strike / Livre Singulier / Livre Saint / Légion Solaire / Silab Lee / Son Livre / Sanctus Liber / Syllabe-Les » ou, sous d'autres aspects, « est-ce elle / aisselle ».

• **La synonymie stricte.** Encore qu'elle ne compte point

parmi les opérations les plus fréquentes, la synonymie stricte permet, çà et là, quelques transits actuels dans les textes du Nouveau Roman. On notera par exemple, dans *La Bataille de Pharsale*, ce passage d'une peinture à un souvenir : « De sorte que les fuyards semblent se diriger vers sa droite pour la contourner, constituant apparemment *l'arrière-garde / le dernier cavalier* disparaissant au galop au coin du petit bosquet » (p. 109). Ou dans *Le Libera*, par suite de l'interprétation ironique d'un patronyme : « Qu'est-ce que c'était au fait qui nous avait tant fait rire ou si je confonds avec la succession *Duchemin*, / bref au croisement *de la rue* Neuve et des Casse-Tonnelles » (p. 139).

• **La synonymie approximative.** En revanche, la synonymie approximative y opère largement. Dans *Été indien*, Ollier établit un transfert du métro aérien à un avion, à partir de leur commune évocation approximative de l'*envol* : « Déjà le train quitte l'île, s'*élève* dans les airs, s'élance au-dessus de l'eau. / L'engin prend son *élan* sur la piste artificielle tracée perpendiculairement au rivage » (p. 80-81). *Dans le labyrinthe* propose une bifurcation en jouant sur l'idée de *limite supérieure* : « Les lignes verticales de petits insectes qui montent jusqu'au *plafond*. / Dehors, le *ciel* est toujours de la même blancheur sans éclat » (p. 23). Dans *L'Observatoire de Cannes*, un changement de séquence, et de chapitre, s'accomplit sur la commune idée d'*horizon* : « Le phénomène de réflexion totale colore la mer d'une teinte uniformément bleu pâle, jusqu'*à perte de vue*. / Et les regards, braqués une nouvelle fois vers l'embrasure de la fenêtre, vers l'extérieur, fixent l'*horizon* » (p. 51-52). Dans *Passage de Milan*, les deux personnages sur lesquels s'appuie le transit exercent le même rôle de cuisinière : « Martine, pendant tout ce temps, un tablier à carreaux bleus sur sa robe de laine rose, tournait silencieusement le *presse-purée*. / Samuel Léonard s'était mis à table dès son retour. La *cuisinière*, Madame Phyllis, passe les *plats* » (p. 37). Dans *La Bataille de Pharsale*, le saut a lieu à partir de l'idée de jaune : « Le *soleil* brille sur les morceaux du verre cassé. / Photo *jaunie* aux ombres pâles » (p. 12), etc.

Cette disposition synonymique se rencontre aussi, dispersée, avec les effets virtuels bien connus, dans le corps des

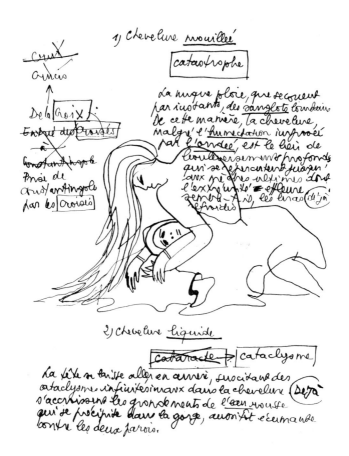

*Recherches pour la synonymie approximative
dans* La Prise de Constantinople.

séquences. On rencontre par exemple dans *Le Voyeur*, sous la commune évocation approximative du huit : « l'*hélice* » (p. 12), « *deux cercles* foncés » (p. 37), « *deux cercles* aux déformations symétriques » (p. 40), « le jambage vertical du b, au lieu d'être droit, se tordait vers l'arrière et sa boucle supérieure, trop arrondie, semblait l'image renversée de la panse contre laquelle elle venait presque s'accoler » (p. 134), « Monsieur X sur le double circuit » (p. 167), etc. Dans *Le Libera*, sous le signe du nettoyage des carreaux : « Mademoiselle Cruze était en train de *nettoyer les carreaux* de sa fenêtre » (p. 9), « Mademoiselle Lorpailleur (…) en tombant d'une chaise pour *laver les carreaux* elle s'est démis l'épaule » (p. 15), « Madame Ducreux (…) *nettoyait les carreaux* de la fenêtre » (p. 15), etc. Dans *Le Maintien de l'ordre*, à l'enseigne de l'automobile : « L'autobus » (p. 11), « l'omnibus » (p. 12), « véhicules » (p. 20), « omnibus » (p. 20), etc. Dans *Mobile*, c'est par les marques que s'inscrit la synonymie approximative : « une Buick » (p. 11), « une Ford » (p. 14), « une Oldsmobile » (p. 19), « une Studebaker » (p. 22), « une Plymouth » (p. 25), etc. On rencontrerait aussi, dans *L'Observatoire de Cannes*, mille synonymes approchés du dénudement : « Enfin, dégageant peu à peu, au cours de sa lente montée, le paysage des obstacles » (p. 15), « l'espace élargi par l'ascension » (p. 15), « l'ascenseur vitré prolonge et amplifie le lent dévoilement » (p. 16), « le paysage, complètement dénudé, s'offre enfin au regard » (p. 16), « de ce panorama largement déployé » (p. 17), etc.

Si l'on excepte les occurrences de même famille, sans doute la paronymie synonymique ne se rencontre-t-elle guère. Cette combinaison en effet, théoriquement aisée à construire, est difficile à obtenir dans la pratique, puisque, pour deux mots de familles différentes, elle exige une similitude de signifiant et de signifié. Cette absence est du reste tout à fait secondaire. La collection que nous venons d'offrir démontre suffisamment l'intense activité de la micro-similitude, avec ses effets de transit. Il est clair désormais que, *dans le Nouveau Roman, mille agressions par similitude perturbent incessamment la métonymie du récit.*

Remarquons-le donc : la rime, amplement dédaignée dans la poésie contemporaine, a trouvé, en se généralisant et en subtilisant à tous niveaux, tout un champ d'action dans la prose romanesque moderne.

2.5. Le récit avarié

Nous l'avons vu : en accroissant son activité, la similitude déclenche un renversement. Mineure dans une séquence, elle permet au Même de travailler l'Autre : c'est le domaine des similantes. Majeure, elle permet à l'Autre de travailler le Même : c'est le domaine des variantes. Toutefois, certes, avec la macro-similitude, le problème des emplacements reste du même ordre : deux variantes peuvent être disjointes, si une autre séquence au moins les écarte (figure 19), ou contiguës (figure 20). Dans le premier cas, c'est une contiguïté qui met en place des similitudes ; dans le deuxième, ce sont deux similitudes qui s'assemblent. Mais tel dispositif joue un rôle moins grand pour les variantes que pour les similantes. En effet, avec les variantes se pose un problème de tout autre envergure. Il ne s'agit plus seulement, par des transits analogiques imprévus, de rompre ou de raccourcir le fil du récit : c'est maintenant la nature même de ce qui est conté qui se trouve mise en cause. Avec les variantes, le récit subit de bien curieuses avaries.

Contiguës ou distinctes, supposons deux variantes. Sitôt, une question jaillit : laquelle est primordiale ? Ou, si l'on préfère : laquelle admet l'autre comme sa variante ? Et, plus précisément : laquelle est réelle, laquelle apocryphe ? L'exigence d'une telle hiérarchie n'est rien de moins que la riposte du récit agressé. Nous le savons : le récit tire crédibilité d'une certaine illusion référentielle. Or celle-ci est battue en brèche chaque fois que le récit met en jeu divers niveaux de réalité. C'est que dans un récit, le niveau « réel » et ce que nous pour-

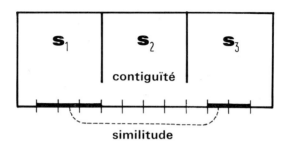

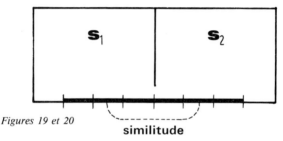

Figures 19 et 20

rions nommer le niveau illusoire (l'onirique, le fantasmatique, l'hallucinatoire, l'imaginaire) ont un seul et même statut. Dans la mesure où ils sont l'effet de mots ordonnés, ils
sont tous, identiquement, *de la représentation*. Pour préserver, dans un récit, le réel de toute contamination, il faut donc
prendre grand soin de le distinguer explicitement. C'est pourquoi, dans la plupart des cas, on prélève, dans la profuse
variété des précisions diacritiques, les mieux aptes à clairement signifier le statut, le degré de réalité de la séquence lue.

Avec les variantes, le problème subit une aggravation sensible. Il ne s'agit plus de *souligner* avec soin la hiérarchie du
réel et de l'illusoire, il s'agit, d'abord, de l'*obtenir* à tout prix.
Faute de quoi se déclenchera ce qu'il faut nommer *une guerre
des variantes* en laquelle *le « réel » aura à se défendre... contre
lui-même*.

Mais cette guerre se dispose selon deux ordres de conflits.
Ou bien, armés chacun de sa variante, deux secteurs distincts
combattent pour une manière de *prise du « réel »* : c'est la

concurrence externe. Ou bien, écartelé par ses variantes, un même secteur se déchire, selon une procédure purificatrice, pour se purger de ses propres *aspects imposteurs* : c'est la *concurrence interne*.

2.5.1. Concurrence interne

Nous l'avons souligné : il y a variante si deux textes, en dépit de leur diversité, sont lus comme renvoyant au Même. Cette Identité, sur laquelle le récit appuie son réel, est le lieu qui ne partage pas : le domaine du non-cohabitable. L'ensemble des rapports qu'entretiennent les variantes dans un récit peut donc être facilement ordonné, à partir de l'occupation (+) ou non (−) de cet emplacement stratégique (tableau 21). Ce qui se montre, aussitôt, c'est qu'il y a en fait deux manières d'abolir la périlleuse contradiction du face à face des variantes. D'une part, comme nous l'avons noté, *la mise en hiérarchie*. D'autre part, avec le dos à dos, *la mise en fantaisie*, tentante pour tout écrivain moderne qui reculerait devant la subversion qu'accomplit sa pratique. Avec ce dernier cas, en effet, la contradiction non moins s'élimine. La topologie conflictuelle des variantes égales se dissout en atopique confortable : aucune des variantes ne prétend plus lutter avec telle autre, aucune ne brigue plus le « réel » ainsi soustrait et préservé. La hiérarchie réaliste et la fantasmatique généralisée ont une même fonction : abolir l'un des plus violents parmi les dispositifs qui mettent en cause le récit.

• **Variantes flottantes.** Nous le savons : la contradiction des variantes est indépendante de leur posture dans le texte. Ce n'est pas dire que cette position soit indifférente. Dans un premier temps, il semble clair que, si les variantes sont

▼ variantes / rapports ▶	face à face	hiérarchie		dos à dos
1	+	+	−	−
2	+	−	+	−

Tableau 21

rapprochées, leur contradiction est aiguë et que, si elles sont écartées, leur contradiction est sournoise. Dans un second temps, cependant, il faudra peut-être souligner qu'en certaines circonstances l'écartement des variantes peut permettre, paradoxalement, une recrudescence de la contradiction.

Un parfait exemple de variantes contiguës est offert par Nathalie Sarraute dans *Martereau*. Une scène s'y prend à varier jusqu'à quatre fois consécutives. Ce qui, ainsi, diversement se constitue, c'est, dans un ordre fluctuant, une scène à plusieurs phases : l'oncle du narrateur, qui veut placer une somme encombrante, demande à Martereau d'acheter avec, en ses nom et place, une certaine villa ; l'oncle prend congé ; restent Martereau et sa femme. Comme chaque variante s'étend sur plusieurs pages toutes tissues d'incessantes métamorphoses microscopiques, il faut se satisfaire de quelques brèves citations en forme de repères.

Première variante : **A** « Cela ne s'est pas réalisé, ce que Martereau avait pressenti vaguement (c'était comme un courant d'air glacé qui l'avait frôlé tout à coup au cœur de la chaleur, de la douce intimité), cela ne s'est pas produit, ce qu'il avait redouté, cette sensation, au moment de se quitter, d'arrachement, de chute dans le vide. Il n'y a rien d'autre en lui maintenant qu'un sentiment de confiance joyeuse » (p. 208). **B** « Il marche de long en large sans la regarder, les mains dans ses poches, il sifflote, il sourit à ses pensées... Il sent comme elle l'observe » (p. 210). **C** « Mais il ne laissera pas briser son élan, gâcher sa joie » (p. 210). **D** « Cette fois encore, ce ne sera pas long, elle ne le ratera pas : la lueur vacillante, la quête timide, l'espoir tremblant qu'elle perçoit en lui la provoquent, l'excitent... peu de gens résistent à cela » (p. 212). **E** « Mais il se domine encore trop bien, il est trop heureux encore, il se sent trop fort » (p. 215). **F** « Il éprouve une joie qu'il connaît bien à se servir de son arme la plus sûre. Il goûte la détresse qui monte en elle aussitôt, le désarroi... il ouvre la porte... ''Tiens, j'en ai assez, je sors, je vais faire un tour... C'est inutile de m'attendre. Je rentrerai peut-être tard, ne m'attends pas'' » (p. 215).

Seconde variante : **A** « La crevasse, un trou béant, que Martereau avait senti s'entrouvrir en lui par moments au cours de cette soirée et se refermer aussitôt, s'est rouverte cette fois largement, un souffle d'air glacé s'y est engouffré » (p. 215). **B** « Il marche de long en large, les mains dans ses poches, il sifflote pour se donner une contenance, il ne peut s'empêcher de la regarder » (p. 216). **C** « Le contraste est trop gênant entre l'excitation qu'elle lui a vue, il y a un instant, son enjouement, sa rondeur, sa bonhomie, ses plaisanteries et cette chute brusque, ce visage affaissé, vidé » (p. 216-217). **D** « Ah ! il est dégrisé maintenant, ça le fait réfléchir, il y a de quoi. Elle passe devant lui sans le regarder, le plateau dans ses bras, avec un air qui signifie : allons, la fête est finie, ce n'est pas tout ça, il s'agit maintenant de payer les pots cassés… » (p. 217). **E** « Elle va lui montrer maintenant impitoyablement combien la marchandise était falsifiée » (p. 221). **F** « Ah ! non, cela suffit, pas maintenant, assez… Ah ! je t'en prie laisse-moi, ne t'occupe donc pas de ça. S'échapper tout de suite, la fuir… Il ouvre la porte » (p. 221-222).

Troisième variante : **A** « Cette rougeur, cette chaleur ce sont les signes avant-coureurs, l'éclair qui précède le grondement du tonnerre, presque aussitôt dans un fracas assourdissant, la foudre s'abat : un homme de paille : c'est cela. Il reste cloué sur place, pétrifié, calciné » (p. 223). **B** « Martereau marche de long en large, les mains dans ses poches, il sifflote pour se donner une contenance, car elle ne le perd pas de vue » (p. 226). **C** « Un nouvel éclair, le tonnerre, la foudre tombe, il brûle : son homme de paille » (p. 225). **D** « Ça l'ennuie d'être obligé de lui faire des reproches, pauvre vieux, il a l'air bien embêté, elle aimerait mieux pouvoir le rassurer » (p. 230-231). **E** « Il sait maintenant : il n'a plus le choix. C'est la rançon de tant de faiblesse, d'abandons » (p. 231). **F** « Qu'on le laisse tranquille. Seul, loin d'eux tous, marcher seul sous le ciel étoilé, au grand air, respirer un peu d'air pur… Il va vers la porte… Ah ! tiens, j'ai envie de sortir. Je vais faire un tour. Tu dois être fatiguée. Couche-toi. Ne m'attends pas » (p. 231-232).

Quatrième variante : **A** « Il a su, dès qu'il a vu son regard, que la trappe venait de se refermer sur eux. Il était seul avec elle au fond du trou. Personne ne pouvait plus rien pour lui. Ni les regards innocents et affectueux de son ami… » (p. 234). **B** « Il marche de long en large, les mains dans ses poches, il sifflote, il lui jette un regard haineux… ça y est, elle arbore

déjà son expression de victime » (p. 235). **C** « Elle a son air
faussement résigné, trop doux : la pauvre femme sans·défense
entre les mains d'une brute... il sait qu'elle se voit ainsi »
(p. 235). **D** « Elle l'inciterait au crime quand elle prend ce
ton, cet air, elle le pousserait à je ne sais quels excès » (p. 235).
E « Il a pressé fort, juste au bon endroit et ça a jailli, il le
reçoit en plein dans les yeux » (p. 236). **F** « Qu'elle ravale son
fiel, son venin. Que cela se remette à enfler en elle, l'empoi-
sonne, lui fasse mal... Ah ! non mon petit, je t'en prie, ne
commençons pas. J'ai d'autres idées que toi là-dessus. Tiens,
tu ferais mieux d'aller dormir. Va donc te coucher, je sors.
Ne m'attends pas » (p. 237).

A la suite de cette fiction quadruple, sans doute distingue-
t-on mieux l'apparente force disruptive des variantes contiguës. Le danger paraît si grand que le récit recule devant des
menaces si précises. Aussi prend-il soin de désamorcer
d'avance la charge explosive. Il suffit de transformer le face
à face des variantes en leur dos à dos. Pour adoucir la contradiction active, le récit poste d'emblée une parfaite mise en
fantaisie. Aucune de ces variantes ne brigue vraiment la prise
du « réel » : elles sont seulement des hypothèses un peu
appuyées, des rêveries plus ou moins complaisantes du narrateur s'efforçant de reconstruire, par rumination, telle scène
importante du récit : « C'est vrai : ce n'est pas si simple...
J'ai besoin de réfléchir, de regarder d'un peu plus près... de
ruminer encore un peu... » (p. 207). Un danger irrécusable
donc, mais, on le voit, préfacé par d'irrécusables précautions.

• **Variantes intégrées.** Ce qui frappe ainsi, dans *Martereau*,
c'est l'aisance avec laquelle les variantes subissent une experte
neutralisation. Nul doute qu'il s'agisse là de ce qu'on pourrait nommer des *variantes fragiles*. Appelons *puissance d'une
variante* son aptitude à revendiquer l'accès au « réel ». Il est
clair que telle puissance dépend surtout de deux facteurs :
d'une part du traitement interne de la variante ; d'autre part
de son accrochage au récit. Considérons ce dernier facteur :
nous dirons qu'une variante est d'autant plus puissante qu'elle
prolonge expressément une séquence marquant le réel. Aussitôt se distinguent deux types de variantes : *les variantes flottantes, les variantes intégrées.*

Les variantes que nous venons de lire dans *Martereau* sont

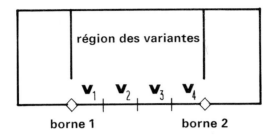

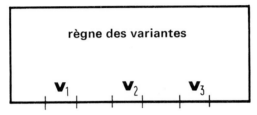

Figures 22 et 23

flottantes. Aucune ne bénéficie des privilèges d'un accrochage propre. Leur ensemble forme un *paradigme étalé dans le récit selon la juxtaposition d'une liste.* Pour chacune, donc, accéder au réel, c'est s'enraciner seule en ce lieu, faute de quoi nul autre garant ne viendra la soutenir. C'est à chacune, en somme, qu'il revient de résoudre le problème de la contradiction. Le récit est parvenu, quant à lui, à circonscrire en quelque façon le risque. Il a délimité une zone dangereuse, une plage très localisée d'incertitude, un abcès de fixation : *la région des variantes* (figure 22). Il est alors facile à la rêverie du narrateur de prendre en charge d'un seul coup, pour la rendre anodine, toute cette scabreuse circonscription.

Mais ce risque ponctuel, celui des variantes circonscrites, peut faire place, infiniment plus grave, à un péril structurel : celui des variantes inscrites. Il ne s'agira plus, cette fois, de contenir le danger entre deux bornes du récit : nous entrons dans le domaine des variantes intégrées. Supposons diverses variantes dont chacune jouisse d'un accrochage propre. Leur ensemble forme bien un paradigme, *mais dispersé dans le récit selon l'éparpillement d'un essaimage.* Pour chacune, donc, il y a bien accès au «réel», puisqu'elle est enracinée à une séquence formant garantie. Elles sont des *variantes solides.* Puisque chacune, à sa place, est intégrée au récit, ce n'est plus aux variantes de résoudre le problème de la contradiction. C'est au récit lui-même de s'en accommoder ou plutôt d'en subir les pires dommages. Plus de bornes en effet, plus de cordon sanitaire isolant une région périlleuse : c'est le récit dans son ensemble qui est touché, maintenant soumis au *règne des variantes* (figure 23).

Désormais, à chacune de ses variantes, le récit ne peut accéder au «réel» qu'à la stricte condition de contester cet accès ailleurs, là où il a imprudemment intégré d'autres variantes. Ainsi, en quelque façon, *le récit devient allergique à lui-même.* Alliance paradoxale de l'inclusion et de l'exclusion. Récit impossible : récit, puisqu'une série d'événements se propose ; impossible, puisque ces événements s'excluent. En somme, blessé à mort, le récit n'est plus apte à jouer son rôle essentiel : obtenir l'*illusion de totalité.*

Ce sont des procédures de même sorte, d'ailleurs liées, non sans complexité, avec quelques autres, que travaille souvent Robbe-Grillet. Ainsi, dans *La Maison de rendez-vous*, la servante Kim trouve le cadavre Édouard Manneret tué par un instrument effilé : «Dans le fumoir, séparé du bureau par une paroi de glace qui se trouve en partie fermée, elle voit le Vieux étendu par terre de tout son long sur le ventre. La tête seule est tournée de côté, la main gauche tient encore le pied d'un verre brisé qui lui a transpercé la gorge dans sa chute (...). C'est toujours le même hurlement muet qui n'arrive pas à sortir de sa gorge, tandis qu'elle dévale l'escalier en sautant les marches deux par deux, trois par trois» (p. 176-177). Mais, comme quelqu'un, un peu plus bas, semble la chercher, elle pousse une porte entrouverte, dans l'obscurité. Peu après : «La lumière s'allume. Dans le vestibule, Édouard Manneret vient à sa rencontre. C'est lui qui a poussé le bouton électrique» (p. 181).

Ainsi choisis, pour simplifier l'analyse, dans des pages très touffues, les événements successifs proposent bien deux variantes intégrées (tableau 24). Or, devant cette atteinte immense, le récit se rebelle : en tous lieux les procédures

accrochage	entrée de Kim
variante 1	sa découverte du cadavre
accrochage	fuite, entrée de Kim
variante 2	sa rencontre avec Manneret de nouveau... vivant

Tableau 24

d'atténuation se multiplient. D'une part, avec le recours à un certain hallucinatoire, une mise en fantaisie : Kim est poursuivie par une meute qui, soudain, se résout à n'être plus personne : « Elle saute les marches quatre par quatre, cinq par six, mais ses fines chaussures dorées ne font aucun bruit sur le revêtement élastique du sol, et les autres aussi, derrière elle, courent dans l'ouate de plus en plus vite (...) lorsque celle-ci se retourne pour regarder en arrière, elle n'aperçoit que l'escalier vide et silencieux » (p. 178). L'homme qu'elle rencontre plus bas ressemble curieusement à Manneret. Une fois la porte poussée, elle est soumise, aussitôt, dans le noir, à toutes sortes d'attouchements excessifs, fantasmagoriques. D'autre part, avec une désinvolture parfaite, une mise en hiérarchie : « Si Manneret vient d'être assassiné, cette scène se passe auparavant, de toute évidence. Et c'est maintenant monsieur Tchang, l'intermédiaire, qui arrive à la rencontre de Kim, dans la petite pièce où elle pénètre à l'instant » (p. 182). Le dispositif des variantes intégrées *Kim entre chez Manneret mort/Kim entre chez Manneret vivant*, cède la place à un couple de variantes flottantes *Kim entre chez Manneret vivant/Kim entre chez Tchang*, dont la première est ironiquement évincée : elle ne saurait avoir sa place en ce point du récit. Seulement, avec cette bifurcation d'une effronterie agressive, le récit subit un surcroît d'irréalité : c'est tout entier, pour se défendre, qu'il est contraint de subir une totale mise en fantaisie.

Si, plus loin, telle autre variante intégrée de la mort de Manneret se présente, la périlleuse réalité de ses événements sera mise en cause, d'une autre manière, à mesure, par l'insertion de parenthèses interrogatives : « Édouard Manneret refuse. Alors l'Américain sort calmement son revolver de la poche intérieure droite (ou gauche ?) de son smoking, ce revolver qu'il était allé prendre tout à l'heure (quand ?) dans l'armoire ou la commode de sa chambre d'hôtel » (p. 210). Ces atteintes, par lesquelles le récit est attaqué, ne sont donc en fait pour lui, stratégiquement, en ces extrémités, que d'ultimes manœuvres de sauvegarde.

Tels problèmes se rencontrent, non moins, dans les romans de Pinget. Dans *Passacaille*, par exemple, d'emblée s'intègre une scène que la suite variera, celle d'un homme entrevu quelques heures avant sa mort : « L'homme assis à cette table quelques heures avant retrouvé mort sur le fumier n'aurait pas été seul, une sentinelle veillait, un paysan sûr qui n'avait aperçu que le défunt un jour gris, froid, se serait approché de la fente du volet et l'aurait vu distinctement détraquer la pendule puis rester prostré sur sa chaise, les coudes sur la table, la tête dans les mains » (p. 8). En effet, si l'on excepte maintes complexités intermédiaires, c'est une tout autre variante qui se trouve ancrée un peu plus loin. Le même homme sort et trouve... un cadavre : « Il était arrivé un jour gris, étant entré par la cuisine, n'avait pas ouvert le volet car le soir allait tomber, il avait traversé la grande pièce et vu sur la table le bouquet fané et le livre, aurait remis à plus tard sa lecture et serait ressorti par la cour puis faisait le tour du jardin et distinguait sur le fumier... le tout parfaitement logique, sans bavure » (p. 24-25).

Une fois encore, on le voit, cette violente contestation du récit est modérée par diverses mises en fantaisie. Sans entrer dans les détails, notons par exemple l'insertion des conditionnels : avec eux le face à face des séquences se dérobe, irrécusablement, à l'instant où il se propose.

• **Variantes généralisées.** Une question se fait donc pressante : la mise en place des variantes intégrées s'accompagnet-elle toujours, dans le Nouveau Roman, de telles ou telles procédures modératrices, aptes à en restreindre l'effet dévastateur ? Il faut répondre par la négative. Dans *La Jalousie*, par exemple, Robbe-Grillet établit, avec *les* écrasements du

Une pendule noire, un bouquet de
cyprès, un cadavre intermittent, ~~████████~~
~~████████~~, trois éléments de l'opéra =
tion le magie menée par le "maître"
au détriment de ses voisins, de ses
rares amis et de lui-même, selon le
rythme obsédant des veilles et les *les cauchemars*
insomnies.

~~Le point extrême il est le passion~~

~~Il~~ *La* Passacaille *est une* pièce instrumen =
tale *à trois temps,* ~~à mouvement~~ très lent et à
variations sur un thème obstiné.

La Passacaille *comme mouvement à variations.*

mille-pattes, tout un jeu de variantes intégrées au très fort
présent de l'indicatif et sans ménager d'atténuation. A la
p. 127, l'insecte est de petite taille : « Il s'est arrêté, petit trait
oblique long de dix centimètres, juste à la hauteur du
regard » ; il est énorme à la p. 163 : « Il est gigantesque : un
des plus gros qui puissent se rencontrer sous ces climats. Ses
antennes allongées, ses pattes immenses étalées autour du
corps, il couvre presque la surface d'une assiette ordinaire. »
Est-ce à dire que, dans les ouvrages plus récents comme *La
Maison de rendez-vous* et *Passacaille*, le Nouveau Roman
procède à une mise en cause moins vive du récit ? Il faut
répondre par la négative. Tout se passe, dans ces derniers
livres, comme si les diverses mises en fantaisie que nous avons
soulignées, avaient pour fonction de permettre l'accès à des
expériences encore plus scabreuses : celles des *variantes généralisées*.

Pour éviter les démonstrations qui excéderaient l'ampleur
de la présente étude, signalons seulement qu'en ces extrémités c'est la fiction tout entière qui est mise en variantes. Désormais, le récit tend à se produire comme une suite de
combinaisons affectant les éléments de la fiction et leurs agencements. On le devine, telle machine à variantes connaît diverses règles de métamorphoses (tableau 25). Supposons *n*
éléments fictifs, on appellera : *permutation*, l'échange de leur
rôle dans le dispositif de la scène ; *substitution*, leur rempla-
cement dans le même dispositif ; *transformation*, leur mise
en jeu dans un nouvel agencement ; *perturbation*, la venue
d'un élément hors-système. Le récit est alors, avec les innombrables déséquilibres que l'on suppose, la résultante d'exigences incompatibles : le maintien d'une vraisemblance
événementielle, une logique combinatoire.

départ	permutation	substitution	transformation	perturbation
a A b	b A a	c A d	a B b	a A bx

Tableau 25. Éléments : lettres minuscules, Dispositifs : lettres majuscules.

2.5.2. Concurrence externe

La formule *un récit* est courante. Mais sur quoi, au fait, s'appuie-t-on pour la proférer ? Qu'est-ce qui permet d'établir l'unité d'un récit ? Certains seront peut-être enclins à répondre : mais voyons, c'est le fait d'être enclos dans l'unité d'un écrit, d'un livre.

• **La guerre et la paix.** On le voit : telle opinion relève d'une idéologie bien précise : celle qui entend qu'une correspondance univoque associe naturellement le récit et le livre. C'est un conditionnement, inlassablement infligé par les innombrables textes narratifs consacrés chacun à un récit dominant, qui agit en l'espèce. En fait, les rapports sont multiples et le tableau qui les résume doit faire intervenir de nouveaux conflits (tableau 26). Sitôt abandonnée, en effet, la concordance du récit et du texte, on quitte la région des *récits paisibles* pour entrer dans le domaine des belligérances. *Un seul récit peut couvrir plusieurs livres :* songeons, non point certes au cas où le même récit s'étale sur plusieurs volumes, mais à celui où « un » récit connaît plusieurs versions séparées. On reconnaît, après agrandissement, le précédent problème des variantes. C'est toute l'envergure du récit qui borne maintenant l'enjeu du conflit de ce qu'il faut bien nommer des méga-variantes. Selon la stratégie établie plus haut, chacune tend donc à s'emparer de cet espace, à y imposer son pouvoir, devenir *le* récit, dont les autres ne seront plus, dès lors, que les aspects apocryphes. Cette guerre pourrait en somme se formuler comme la tentative conflictuelle (et, dans les cas subversifs : impossible) d'ordonner un pluriel de récits semblables en une hiérarchie de récits inégaux : l'un, orthodoxe, dominant les autres, fallacieux.

	récit paisible	guerre		
		des variantes	des récits	générale
récit(s)	un	un	plusieurs	plusieurs
texte(s)	un	plusieurs	un	plusieurs

Tableau 26

Plusieurs récits peuvent travailler un seul livre : songeons non point certes au cas où plusieurs récits sont recueillis séparément dans un même volume, mais à celui où le même livre connaît l'imbrication de plusieurs récits. Ce phénomène, il faut le préciser et le stratifier. Auparavant, esquissons une stratégie du conflit. C'est toute l'envergure du livre qui définit maintenant l'enjeu de la bataille des récits. Chacun tend donc à s'emparer de cet espace pour y imposer son pouvoir, devenir *le* récit, dont les autres ne seront plus, dès lors, que les appendices. Cette guerre pourrait en somme se formuler comme la tentative conflictuelle (et dans les cas subversifs : impossible) d'ordonner un pluriel de récits autonomes en une hiérarchie de récits inégaux : l'un, principal, dominant les autres, subordonnés.

Plusieurs récits peuvent travailler plusieurs livres : songeons, non pas à des récits différents enclos respectivement dans des livres différents (ce serait un retour aux récits paisibles), mais à la superposition des deux conflits qu'on vient de disposer. Sans entrer dans le détail de cette *guerre générale des textes*, signalons seulement que, en cette perspective, la notion d'œuvre pourrait bien subir, à divers titres, quelques dommages.

• **La guerre des récits.** Nous l'avons vu : l'unité d'un récit ne peut se définir par son emplacement textuel. Quel est donc le principe unificateur apte à opérer une mise ensemble des événements de manière à former un récit? Ces invariants, nous les scinderons en trois sections à partir de la triade formée par un mobile se déplaçant dans un système spatio-temporel (figure 27). Si la variation de l'Espace est nulle, nous accédons aux *Récits iliadéens*. Ce qui assemble en ce cas divers événements en l'unité d'un récit, c'est un même lieu : tout se passe dans un même paysage ou, comme dans *Passage de Milan*, en un même édifice. Fondés sur un théâtre des opérations, ces récits acceptent pour parangon illustre l'*Iliade*, au titre symptomatiquement toponymique. Si la variation du Temps est nulle, nous arrivons aux *Récits sursitaires*. Ce qui assemble en ce cas divers événements en l'unité d'un récit, c'est un même moment. Fondés sur la simultanéité, ces récits fonctionnent comme, tendanciellement, *Le Sursis*, de Jean-Paul Sartre, dont le titre, opportunément, marque une sorte

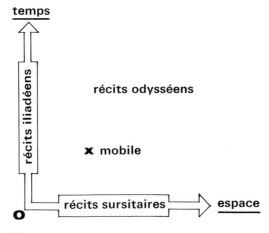

Figure 27

de suspension du temps. Si l'identité seule du Mobile est main-
tenue, nous atteignons aux *Récits odysséens*. Ce qui assemble en ce cas divers événements en l'unité d'un récit, c'est
un même personnage ou un même objet. Fondés sur la per-
sistance d'une individualité, ces récits admettent pour exemple célèbre *L'Odyssée*, au titre symptomatiquement
patronymique.

Par suite, nous dirons qu'un texte met en jeu plusieurs
récits, si entre ces récits ne se rencontre, fondamentalement,
aucune identité des trois facteurs que nous venons de définir. On le devine : ces récits peuvent entretenir deux sortes
de rapports. Ou bien il s'agit de *récits parallèles* qui tendront
à s'ignorer réciproquement ; ou bien il s'agit de *récits inter-
sectés* qui entrent dans une guerre sans merci. C'est ce qu'a
constamment tenté, à sa façon, mon second roman *La Prise
de Constantinople*. Pour réduire le problème à sa plus simple allure, disons que, sous cet angle, ce livre est fait de la
lutte d'au moins deux récits : un récit terrestre, contemporain, mettant en jeu un groupe d'enfants et un groupe de jeunes gens ; un récit vénusien, futur, mettant en place un groupe
d'explorateurs. Or, puisque, par définition, les récits marquent leur autonomie dans un texte, en ce qu'ils ne parta-

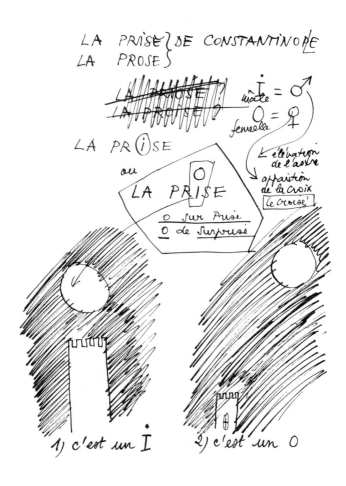

« Bientôt… cercle au dessin parfait, la lune se détache, s'élève… »
(Passage de la lettre i *à la lettre* o, *au début de* La Prise de Constantinople*).*

gent ni les lieux, ni les époques, ni les personnages, ce n'est pas en ces domaines que se peut rencontrer le territoire commun de leurs conflits. Pour obtenir la subordination, la stratégie aura donc recours à deux tactiques : d'une part l'attaque directe ou *capture*, d'autre part l'attaque indirecte ou *prise de l'invariant*. Dans le premier cas, sur lequel nous reviendrons ultérieurement, il s'agit pour tel récit d'en capturer un autre en le réduisant à un récit qu'il englobe (2.6.1.). C'est de nouveau, en quelque façon, une mise en fantaisie, mais, au lieu de s'accomplir comme précédemment au sein d'un système de récits semblables, elle se produit au sein d'un ensemble de récits autonomes.

Dans le second cas, il s'agit, autant que possible, d'accaparer l'invariant sur lequel s'établissent les éventuelles variantes. Tout se passe en effet, dans *La Prise de Constantinople*, comme si les récits autonomes étaient astreints à passer, çà et là, par les mêmes invariants. Qu'il s'agisse d'Espace, de Temps, de Personnages ou d'Objets, l'intersection des récits ne relève donc pas d'une identité concrète, mais d'une simple similitude, appuyée sur une concordance abstraite. Pour chaque récit, la tactique consiste à accréditer le mieux possible l'invariant qu'on lui impose, de façon que la variante du récit adverse, moins réussie de ce point de vue, paraisse par contraste caricaturale, parodique, d'un mot : subalterne.

A titre d'exemple, et en éliminant, pour simplifier, les particularités typographiques et en marquant du signe (...) dans les variantes deux et trois l'enlèvement des répétitions à l'identique, voici trois variantes de la scène inaugurale. La première accréditée, plus tard, semble-t-il, comme fantasme d'un enfant qui joue, appartient au récit terrestre. La seconde fait partie du récit vénusien. La troisième est inscrite de nouveau dans le récit terrestre, mais son caractère tendanciellement parodique («lampadaire») atténue, dans un conflit textuel dont on devine qu'il n'est pas sans rebondissements, l'assez ferme position prise d'emblée.

Première variante : «Rien. Sinon, peut-être, affleurant, le décalage qu'instaure telle certitude. Le noir. Pour obscure qu'elle soit, il semble qu'on ne puisse revenir du plus loin sans accréditer cette figuration du vide. C'est la nuit, donc. Et, déjà, peu à peu, une clarté diffuse l'élucide. Bientôt, cercle au dessin parfait, la lune se détache, s'élève dans la transparence au-dessus d'une sombre architecture. Quelques pas, risqués en oblique, permettent d'échapper à sa dangereuse évocation. Exposées à l'astre, plusieurs surfaces claires matérialisent des créneaux. L'ombre que la forteresse projette jusqu'ici sur la pente, selon une réplique approximative, est raffinée en innombrables échancrures par les accidents du sol. Dans le détail, même, certaine inversion dégrade les contours : divers monticules éclairés émergent de la région ombreuse ; la zone de lumière est perforée de creux obscurs. Si elle se laisse astreindre à une lecture périlleusement excessive, l'observation ne pourra plus éluder le rôle microscopique, sur les versants de sable, des paillettes de mica... »

Deuxième variante : « Rien (...). Bientôt — cercle au dessin parfait, l'astre se détache, s'élève dans la transparence, au-delà des sourcils. Quelques menus déplacements, en oblique au ras du visage, permettent d'échapper à sa dangereuse évocation. Exposées à la lumière, plusieurs surfaces claires matérialisent les tempes et le front. L'ombre, que la chevelure projette jusqu'ici sur la joue, est raffinée en innombrables échancrures par le grain de la peau. Si elle se laisse astreindre à une lecture périlleusement excessive, l'observation ne pourra plus éluder le rôle microscopique, sur le sommet des pommettes, des taches de rousseur... »

Troisième variante : « Rien (...). Et déjà, sporadiquement, au-delà des fenêtres, des éclairs éloignés l'illuminent. Bientôt, ellipse au dessin parfait, la lumière du lampadaire se détache sur la pénombre qu'elle adoucit. Quelques millimétriques déplacements, risqués en oblique derrière la fente de la porte entrouverte, permettent d'échapper à sa dangereuse évocation. Exposées à la lumière, plusieurs surfaces ovoïdes manifestent sur le tapis bleuâtre des poissons stylisés. L'ombre étroite que l'axe du luminaire projette sur le sol selon une réplique approximative est raffinée en innombrables échancrures par les irrégularités des brins de laine. Si elle se laisse astreindre à une lecture périlleusement excessive, l'observation ne pourra plus éluder le rôle énigmatique, sur le tapis ovale, des empreintes de pas. »

• **La guerre des rhétoriques.** Quand nous avons déterminé les conditions d'une guerre des récits, nous avons feint de rencontrer un problème simple, relevant d'un seul niveau : celui des événements racontés. Or, nous l'avons souligné par ailleurs : la fiction connaît non seulement cette dimension référentielle, mais aussi une dimension littérale. La guerre des récits s'accomplit donc dans un espace double. D'une part : *la guerre des aventures*, qui oppose des séries autonomes d'événements ; d'autre part : *la guerre des rhétoriques*, qui oppose diverses manières d'agencer les mots. La guerre des variantes telle que la pratiquent localement Robbe-Grillet avec *Projet pour une révolution à New York* et Pinget avec *Fable* dans un processus de variation généralisé est en somme *une mise en connexion des variantes valéryennes*. Dans « L'impossible Monsieur Texte » (*Pour une théorie du Nouveau Roman*), nous avons montré qu'on peut appeler ainsi un groupe de variantes distinctes, sur le modèle des quatre sonnets : *Blanc, Fée, Féerie, Même féerie*. La guerre des rhétoriques serait plutôt *une mise en connexion des variantes queneliennes*. On sait que, dans *Exercices de style*, Raymond Queneau a multiplié systématiquement, avec une virtuosité parfaite, les variantes stylistiques distinctes rapportées à un événement dont la dimension référentielle est posée constante. Réunir ces variantes dans un seul texte, c'est ouvrir une bataille des styles. C'est ce qu'a notamment tenté, d'une certaine façon, mon troisième roman *Les Lieux-dits*.

Pour réduire le problème à sa plus simple allure, disons que, sous cet angle, le livre est fait de la lutte d'au moins deux livres : un récit de voyage, un guide touristique. Chacun d'eux essaie, à l'aide parfois d'une stratégie retorse qui ne va certes pas sans produire diverses péripéties singulières, d'accaparer tout le volume. Nous n'entrerons pas ici dans d'inextricables analyses minutieuses. Notons simplement que le conflit peut conduire à de curieuses conséquences que promet le sous-titre de l'ouvrage : *Petit guide d'un voyage dans le livre*. On le voit donc, les fonctionnements de *La Prise de Constantinople* et des *Lieux-dits* sont désignés, métaphoriquement, par les aventures mêmes qu'ils proposent. S'il s'agit, en les deux cas, d'évidents récits de guerre, c'est qu'ils proviennent, en les deux cas, d'une évidente guerre des récits.

Texte et image. Recherche probable pour une mutante dans La Bataille de Pharsale.

2.6. Le récit transmuté

Quand, plus haut (2.3), nous avons étudié la mise en abyme, nous n'avons pas défini sa place dans le dispositif conceptuel des variantes et des similantes. Au premier abord, cependant, la solution paraît claire : la mise en abyme est une variante puisque, une fois détectée, l'essentiel de ce qui la compose entretient un rapport analogique majeur avec telle autre séquence du récit. Mais, dans toute une série de cas, il semble que ce jugement soit infirmé, ou, plutôt, doive être accompagné, simultanément, de son contraire : l'essentiel de ce qui la compose entretient un rapport différentiel majeur avec cette même séquence du récit. En d'autres termes, il arriverait que la mise en abyme soit en même temps une variante et une similante. Tel paradoxe se résout sitôt qu'on lui ménage un espace convenable, composé non pas d'une dimension unique, mais bien de deux.

2.6.1. Mutantes

Supposons, si complexe et fournie qu'on la veuille, la séquence d'un certain nombre d'événements analogiquement liés à tels autres d'une autre séquence. C'est une variante. Supposons à présent que le lecteur apprenne, au détour d'une phrase, que ces événements ne sont en fait qu'une représentation, disons picturale. Alors, c'est une similante, puisque, en dépit des similitudes, le rapport fondamental entre les deux

séquences est différentiel : la « chair et le sang » d'un côté,
de l'autre la peinture et la toile. Quand la mise en abyme est
ainsi obtenue selon une procédure de représentation, nous
pouvons dire qu'il s'agit d'une variante au niveau « formel »
(mêmes nombres ou formes, ou dispositions, ou couleurs,
etc. mis en jeu) et d'une similante au niveau « substantiel »
(matières plutôt différentes). Pareilles mises en abyme qui
supposent, entre les événements respectifs, une transmutation de ce type, ressortissent à ce qu'on peut nommer des
mutantes (tableau 28).

variante	anal. > dif.	« formel »	mutante
similante	dif. > anal.	« substantiel »	

Tableau 28

Or, ci-dessus (2.4.2), nous avons souligné l'aptitude transitaire de la similitude. Dans la mesure où elle repose sur
l'analogie, la mise en abyme connaît donc aussi ce phénomène. Une mise en abyme se définit en effet comme telle si
une autre scène, analogiquement, vient s'y répercuter. Cette
répercussion, c'est un raccourci virtuel (opéré par la lecture)
dans la chaîne de l'écrit (2.3.3). Mais, certes, outre ce transit virtuel, on doit admettre un transit actuel (opéré par l'écriture) où la mise en abyme mutante permettrait le brutal
passage analogique d'une séquence à une autre.

L'analyse du phénomène montre que la transition joue
sur un *segment double*, superposition d'une scène (les événements supposés réels) et de sa propre mise en abyme (les
événements considérés maintenant comme représentés). La
procédure s'apparente donc au fonctionnement d'une
écluse : le segment fictif appartient d'abord à une séquence
puis à une autre. Ou, si l'on préfère, il y a une rétroac-
tion : les éléments supposés encore réels étaient peut-être
déjà représentés (figure 29).

Cependant, il faut distinguer deux catégories de mutations.
Si, comme nous venons de le supposer, elle se fait d'événements supposés réels vers une représentation, il s'agit d'une
capture. Les événements en question de la première séquence

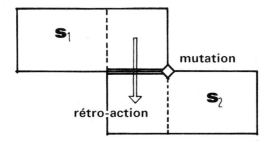

Figure 29

sont captés par la suivante sous forme d'un de ses aspects
mineurs : une représentation. Inversement, si la mutation se
fait d'une représentation vers des événements supposés réels,
il s'agit d'une *libération*. Les événements représentés dans
la première séquence sont libérés par la suivante qui les transforme en événements censés « réels ». Sous divers modes
représentatifs, ces deux sortes de mutations par lesquelles le
récit se brise à l'improviste, rebondit ailleurs et autrement,
abondent chez plusieurs Nouveaux Romanciers.

2.6.2. Captures

• **La mise en image.** Tout ce qui forme image peut également convenir à ces transmutations du récit. Dans *Projet pour
une révolution à New York*, Robbe-Grillet convoque, à tel
moment, la couverture illustrée d'un roman : « Cependant
le petit homme chauve est interrompu dans ses réflexions logi-
ques par l'intérêt exceptionnel du spectacle qui s'offre à lui,
de l'autre côté de la porte, si bien qu'il ne peut pousser plus
loin son analyse de la situation et des conséquences qu'elle
implique... Il y a là une jeune fille qui gît sur le sol, bâillon-
née et ligotée étroitement. D'après le teint cuivré de la peau
et la chevelure abondante, longue, lisse, souple et brillante,
d'un noir bleuté, il doit s'agir d'une métisse possédant une
bonne part de sang indien (...). C'est, assis à la table, un
homme en blouse blanche au visage sévère et aux cheveux
gris, qui porte des lunettes cerclées d'acier (...). Derrière ses

lunettes, dont le cristal jette des éclats *stylisés*, il surveille le niveau du liquide avec le soin que nécessitent les mesures de grande précision. Rien, *sur l'image*, ne permet de déceler la nature exacte, ou même l'effet attendu, de ce produit incolore dont l'injection a besoin d'une telle mise en scène et cause tant d'anxiété à la jeune prisonnière. L'incertitude quant au sens exact de l'épisode est d'autant plus grande *que le titre de l'ouvrage manque, la partie supérieure de la couverture, où il devrait normalement figurer, ayant été déchirée en travers et arrachée, volontairement ou non. Je demande à Laura d'où vient le livre...* » (p. 87-90).

Dans *L'Observatoire de Cannes*, j'ai notamment utilisé une carte postale illustrée : « La fillette blonde qui, ainsi, échappe à sa surveillance, s'est approchée du céphalopode. Avec sa baguette, elle soulève un tentacule qui retombe, puis comme fascinée, elle se met à genoux sur le sable et entre en contemplation. En observant plus attentivement le maillot rouge de la mère, on constate *qu'il est fait d'une simple pièce de carton amovible, terminée par une languette insérée dans une fente de la carte postale. Soulevé par un ongle, le maillot découvre toute une série de minuscules vues* » (p. 89).

Dans *Triptyque*, Claude Simon a recours, entre autres, à une affiche : « Pour mieux pénétrer la fille l'homme a légèrement fléchi les genoux. Il semble tituber et tomberait peut-être si elle ne le retenait pas. Les bas de la fille sont d'une couleur noisette, cuivrée, s'arrêtant à mi-cuisse. Le pan de chair dévoilé (les deux visages sont maintenant invisibles, celui de la fille caché par la tête de l'homme qui l'embrasse dans le cou, aux trois quarts enfouie dans les boucles cuivrées — *l'affichiste ayant utilisé la même couleur pour les bas et les cheveux) constitue la seule note claire dans l'ensemble de couleurs sombres (noir, rouge violacé des briques du mur, fumées ou nuages obscurs) que découvre le pan décollé de l'affiche du cirque* » (p. 21).

Ou, encore, au cinéma : « L'homme détourne la tête et semble s'absorber dans la contemplation du ciel obscur. Au bout d'un temps assez long sa tête pivote avec lenteur vers le lit et, clignant encore plus des paupières pour protéger ses prunelles aveuglées, il se racle la gorge et dit Mais ce Lambert ce député qui vous a saluée l'autre jour au casino est-ce qu'il... A ce moment la voix s'éraille, glisse dans un decrescendo de sons inarticulés *tandis que se bousculent et alternent sur l'écran des taches noires et blanches, comme des fragments de vitre brisée, les rangées des visages des spectateurs tirés brusquement de l'ombre...* » (*Triptyque*, p. 102).

Certes, si elles sont représentatives, les œuvres d'art sont non moins requises. La peinture, par exemple. Dans *Triptyque* encore, Claude Simon écrit : « Tandis que la main gauche fait basculer le loquet des châssis et les entrouvre, la droite fourre à l'intérieur de la case plusieurs poignées d'herbe fraîche. Le fond des alvéoles est obscur, de sorte que, selon leur position à l'intérieur, les formes rondes des lapins apparaissent tantôt noyées dans l'ombre et se confondant avec elle, *sommairement indiquées d'un pinceau qui a posé çà et là quelques accents* » (p. 161).

Dans le labyrinthe, d'Alain Robbe-Grillet, comporte, entre autres, cette capture de même espèce : « Derrière la table et le verre vide, derrière l'enfant, derrière la grande vitre avec son voilage froncé qui la masque jusqu'à mi-hauteur, ses trois boules en triangle et son inscription à l'envers, les flocons blancs tombent toujours avec la même lenteur, d'une chute verticale et régulière. C'est sans doute ce mouvement continu, uniforme, inaltérable, que le soldat contemple, immobile à sa table entre ses deux compagnons. (...) Quant aux autres personnages, ils ne paraissent pas se soucier de ce qui se passe de ce côté-là : l'ensemble des buveurs attablés, parlant avec animation et gesticulant, la foule du fond qui *se dirige vers la gauche du tableau* » (p. 109).

Dans *La Prise de Constantinople* j'ai risqué : « L'enfant contemple cette distance et, sans se retourner davantage, il murmure : — Ne serait-ce pas malgré tout prématuré? Sa silhouette manifeste pourtant déjà, ici et là, de pertinentes anomalies. Quoiqu'il soit maculé en divers points par des traces de poussière, le brun des joues, des bras nus et des jambes constitue la couleur dominante. *On a porté ensuite le blanc de la chemise et celui des socquettes, bientôt liséré de rouge.* »

Dans *La Bataille de Pharsale*, c'est avec une sculpture que Claude Simon opère la transition iconique : « Le brigadier détache sa dragonne et en fouette la croupe de son cheval

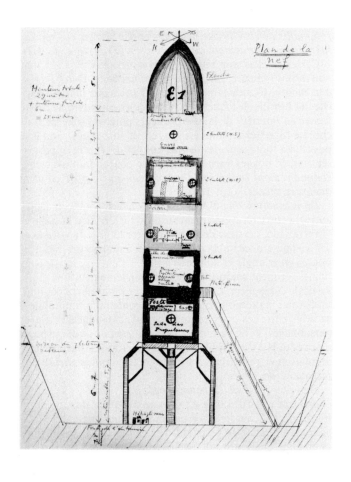

*Dans les brumes et les voiles, la fusée d'*Epsilon.

en criant Tu vas avancer oui espèce de carne? Le soleil continue à baisser. Les ombres des arbres s'allongent sur les prés. Galopant toujours les chevaux continuent à lutter pour se dépasser, *secouant leurs crinières pétrifiées, emportant leurs cavaliers pétrifiés. Leur couleur grisâtre ne les distingue pas de l'espace grisâtre, lui aussi pétrifié, sur lequel ils se profilent. Le soleil, la pluie, le gel, la nuit, les aubes, les jours passent tour à tour sur eux sans que leur course se ralentisse. De temps à autre une plaque, un morceau de peau, une joue, une saillie, une épaule, un coude, plus rarement un membre tout entier, s'effrite, tombe en poussière*» (p. 263-264).

Mais une image peut, non moins, être «mentale». Dans *La Vie sur Epsilon*, Ollier a multiplié les occurrences où des événements supposés réels se retournent peu à peu en hallucinations induites, sur l'étrange planète, par diverses formations de brumes et de voiles. Comme ces transitions se font, d'une étrangeté à une autre, très subtilement, il faut renoncer ici, parce que nécessairement trop brèves, à en fournir des citations.

On le devine : rien n'empêche qu'une représentation soit elle-même captée par une autre. Dans *Triptyque*, Claude Simon en donne des exemples saisissants. Tel celui-ci où la pellicule d'un film se métamorphose en œuvre peinte : «Sans doute s'agit-il d'une scène surtout parlée car d'une image à l'autre aucune modification, aucun changement de place, même minime d'un membre, aucun mouvement de la tête de l'actrice n'est perceptible. (...) Dans le visage renversé en arrière les yeux sont ouverts, regardant fixement le plafond de la chambre ou plutôt les cintres du studio de prises de vue avec leurs câbles, leurs treuils, leurs passerelles garnies de projecteurs. *Selon une technique classique, l'artiste, à l'aide d'un rouge de Venise qui s'éclaircit jusqu'au rose sur les reliefs, a d'abord modelé le corps en camaïeu...* » (p. 80-81).

• **La mise en récit.** Davantage : rien n'empêche qu'un récit soit lui-même capté par un autre. Il suffit qu'il se transforme en un récit dans ce récit. Ce que l'on est en train de lire peut devenir, par exemple, un texte qu'un personnage est en train de lire. Ainsi dans *La Prise de Constantinople* : « — Aucun danger, puisque Ed Word ignorera tout de l'importance de sa mission. C'est une précaution élémentaire. Il pilotera d'ailleurs lui-même une simple fusée individuelle. — Et son uniforme? — Celui-là même de la Légion Solaire, dont il est capitaine. Entièrement rouge et marqué, à hauteur du torse, des astérisques d'or inscrits au sommet de l'octogone fédéral. Les yeux sont verts. — *Entendez-vous? J'ai eu beau frapper, entrer, m'approcher, vous regarder de tout près même, rien n'est capable de vous distraire, semble-t-il, de votre nouveau roman.*» Ou dans *Triptyque* : «Il hisse la lourde machine sur le trottoir, rabat sa béquille et continue alors à pied. D'un réverbère à l'autre l'intervalle entre les deux hommes diminue. *Arrivée à ce point du récit qui, d'ailleurs clôt un chapitre, la femme interrompt sa lecture*» (p. 126).

La bifurcation narrative peut certes prendre d'autres formes. Celle, par exemple, de la *substitution des narrateurs.* Cette fois ce n'est plus un récit qui en englobe un autre, c'est un nouveau narrateur qui accapare le récit en cours. Parfois le premier narrateur tend même à devenir personnage du récit que le second désormais s'attribue. Telles procédures travaillent, innombrablement, chez Pinget et Robbe-Grillet. Dans *Le Libera*, par exemple, d'emblée, un dialogue entre le narrateur et un certain Verveine est interrompu : alors le narrateur se remémore longuement une vieille affaire jusqu'à ce que le lecteur s'aperçoive que c'est Verveine qui parle : «Quelqu'un entrait dans la boutique, j'aurais dû attendre, je n'ai pas attendu, les choses en sont restées là comme on dit mais elles n'en restent jamais là. Si la Lorpailleur est folle les choses n'en restent pas là, nous trouverons le moyen, il doit y avoir une personne, une filière, ensuite ça va tout seul et hop la camisole, la Lorpailleur est en de bonnes mains. L'affaire Ducreux vieille affaire, il y a bien des années, il y a bien une dizaine d'années, le petit Ducreux, quatre ans, a été retrouvé étranglé dans le bois du Furet (...). On a beau dire ils ont eu trois enfants depuis, la petite Laure, le petit Frédéric, le petit Alfred, le drame qu'ils ont vécu ça ne s'oublie pas comme ça, ces choses-là vous marquent pour la vie *disait Verveine*» (p. 8 à 10).

Dans *La Maison de rendez-vous*, le récit proposé à tel moment (p. 168) par un certain personnage est capté (p. 171) par Lady Ava : «Le gros homme au teint rouge s'étend avec une précision complaisante sur certains des égarements commis dans ces circonstances, puis il continue son récit. Manneret, qui s'était ainsi débarrassé de manière ingénieuse d'une encombrante pièce à conviction, avait eu le tort de venir participer lui-même à l'une de ces cérémonies. (...) Quand le policier en connut assez sur la mort de Kito, il voulut évidemment faire chanter Manneret (...). *Mais je demande à Lady Ava pourquoi le maître chanteur n'a pas, dès son arrivée chez Manneret, ce soir-là, exposé son intention d'obtenir sur le champ le versement d'un premier acompte, puisque les choses en étaient arrivées à ce point. Il a bien dit sans doute pourquoi il venait, répond-elle ; le Vieux a dû faire semblant de ne pas entendre la phrase.* »

2.6.3. Libérations

Symétrique de cette *subordination* d'un récit par un autre, se rencontre l'*insubordination* d'un récit vis-à-vis de tel autre. Pour cela, il suffit que les événements proposés comme représentation dans une première séquence s'en libèrent et se prolongent, désormais, dans une séquence nouvelle.

Dans *Projet pour une révolution à New York*, c'est le dessin formé par le bois d'une porte qui par degrés se métamorphose : « La surface du bois, tout autour, est recouverte d'un vernis brunâtre où des petites lignes plus claires (...) constituent un réseau parallèle ou à peine divergent de courbes sinueuses contournant des nodosités plus sombres, aux formes rondes ou ovales et quelquefois même triangulaires, ensemble de signes changeants dans lesquels j'ai depuis longtemps repéré des figures humaines : une jeune femme allongée sur le côté gauche et se présentant de face, nue de toute évidence puisque l'on distingue nettement le bout de ses seins et la toison foncée du sexe (...). *Mais voilà qu'un homme aux cheveux argentés, vêtu de la longue blouse blanche au col montant des chirurgiens, entre dans le champ par la droite, en premier plan* » (p. 8-9).

Dans *L'Observatoire de Cannes*, c'est une carte postale qui s'anime : « Dans le coin droit de la carte vernissée, on discerne, sur la plage, la marque arrondie laissée par une vague, mais pas le moindre éclat de coquille, pas la moindre allumette, le moindre fragment d'algue. Les pieds, en extension complète, sont enfouis sous un dôme de sable. Les mollets sont ramenés sous les cuisses, le dos est appuyé sur le plan incliné. Elle écrit des cartes postales, maintenues sur les cuisses par les doigts écartés en étoile. (...) *Et pourtant, alors que, suivie par le rapide va-et-vient des pupilles, la plume traçant quelques lignes supplémentaires sous la signature, la tête se relève, les lèvres s'entrouvrent en un sourire qui, découvrant un peu les incisives supérieures, n'est peut-être qu'un simple rire silencieux*» (p. 84-85).

Dans *Triptyque*, c'est une affiche de cirque qui devient le cirque lui-même : « Malgré l'éloignement, on peut distinguer, faisant pendant au visage monumental du clown, de l'autre côté de la piste où le dompteur affronte les tigres, une tête de lion de deux mètres de hauteur environ et d'un roux fauve qui rugit en secouant sa crinière brune. Pour qu'elle se détache mieux sur le fond jaune, celle-ci est cernée d'un halo blanc, allant s'estompant. Plus haut, le nom du cirque est écrit en grandes lettres bleues qui entourent en demi-cercle le chapeau verdâtre du clown. *Plus fort que la musique qui joue en sourdine on peut entendre, venant du dehors, des feulements et des rugissements de fauves. Une lourde odeur de crottin et de bêtes sauvages stagne sous la tente*» (p. 76-77). Plus loin (p. 100), c'est un morceau de pellicule cinématographique dont les images deviennent vivantes.

Mais les œuvres d'art sont également le lieu de ces curieuses mises en vie. Dans *La Bataille de Pharsale*, le marbre se fait chair et sang : « L'un des cavaliers renversé en arrière, la tête sur la croupe de son cheval, déjà à demi désarçonné, va lui-même bientôt tomber sur le sol et rouler sous les sabots de marbre parmi les paturons, les jarrets aux tendons nerveux. Le marbre est d'une couleur gris clair. Les poitrails cabrés des chevaux se gonflent de muscles. *L'intérieur des naseaux est injecté de sang. Les pattes rapides, nerveuses, se mêlent et s'entrecroisent à toute vitesse. O. enfonce ses éperons dans les flancs de son cheval et remonte la colline au galop*» (p. 259-260).

Dans le labyrinthe offre l'animation d'une peinture : « Le contraste entre les trois soldats et la foule est encore accentué par une netteté de lignes, une précision, une minutie beaucoup plus marquées que pour les personnages placés sur le même plan. L'artiste les a représentés avec autant de soin dans le détail et presque autant de force dans le tracé que s'ils avaient été assis sur le devant de la scène. Mais la composition est si touffue que cela ne se remarque pas au premier abord. Le visage qui se présente de face, en particulier, a été fignolé d'une façon qui semble sans rapport avec le peu de sentiment dont il était chargé (…). L'homme est assis, raide, les mains posées à plat sur la table que recouvre une toile cirée à carreaux blancs et rouges. *Il a fini son verre depuis longtemps. Il n'a pas l'air de songer à s'en aller. Pourtant, autour de lui, le café s'est vidé de ses derniers clients. La lumière a baissé, le patron ayant éteint la plus grande partie des lampes avant de quitter lui-même la salle*» (p. 28-29).

De même un récit peut s'évader d'un autre en lequel il se trouvait enclos. Il suffit par exemple que tel récit, proposé d'abord dans un dialogue, se développe de manière excessive. En s'hypertrophiant, en multipliant toutes sortes de détails, en se faisant plus littéraire que parlé, il tend à éliminer complètement le dialogue dans lequel il était pris. C'est ce que j'ai tenté notamment dans *La Prise de Constantinople* en prenant soin que cette métamorphose soit subreptice : «— C'est simplement, mon cher, que vous vous acharnez à compulser plusieurs volumes à la fois. Où en est donc notre cher Prince ? — Il a franchi les trois premiers obstacles : la Princesse Apocryphe, l'Épouvantable Basile et la Fillette Fallacieuse qui pleurait dans l'herbe, environnée de mousses infiniment subtiles, et se disait perdue. *Mais, semble-t-il, les essences des arbres se simplifient, se résument à quelques espèces aisément reconnaissables où abondent, avec les sapins et les épicéas, toutes variétés de conifères. Entre les troncs et les ramures plus espacés, apparaît même, enfin, par instants, la façade d'Hessel, les deux tours rondes qui la flanquent. Le chemin s'élargit. Au moment où le Prince pénètre dans la clairière, il aperçoit soudain un adversaire qui s'approche, silencieux, à l'autre extrémité, armé de pied en cap, identique à lui-même…*»

Dans *La Maison de rendez-vous*, au contraire, Robbe-Grillet souligne l'évasion du récit par une fermeture de guil-

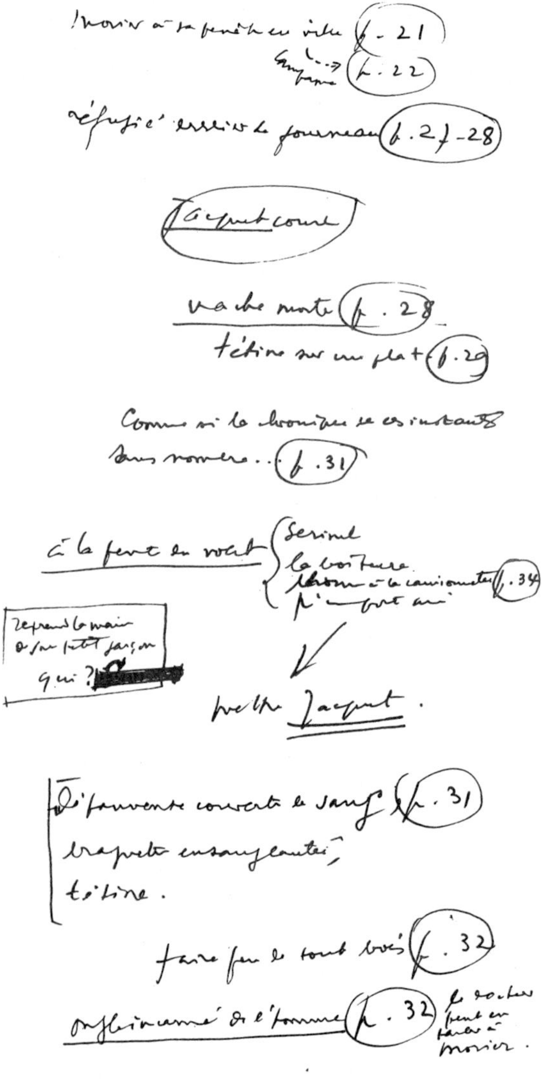

Recherches pour Passacaille.

lemets qui précède le style indirect : « — Mais en réalité, dit-elle, ce n'est pas cette arme-là qui l'a tué. Il s'agit d'une mise en scène destinée à camoufler le crime en accident. Le meurtrier s'est servi d'un stylet chinois à lame télescopique enduite de poison qui, une fois plié, se dissimule facilement dans n'importe quelle petite poche, ou même au creux de la paume. C'est après coup qu'il a disposé le corps sur les débris du verre cassé, comme si la blessure à la base du cou avait été produite par la pointe de cristal tenant encore au pied : Manneret serait tombé un verre à la main... », etc. *L'assassin avait rajouté quelques éléments pour parfaire le tableau : une petite ampoule vide ayant contenu de la morphine, destinée à expliquer...* » (p. 174-175).

2.6.4. Mutations stylistiques

Remarquons-le : en leur variété, ces procédures de transmutation du récit sont spécifiques du texte. Ou, si l'on préfère, elles opèrent une parfaite mise en cause de l'illusion référentielle sur laquelle s'édifie, nous le savons, le récit. Aucune ne peut se penser en termes de vie quotidienne : on n'envisage guère d'événements qui puissent insensiblement se faire surfaces peintes, ni l'inverse. Et pourtant, nos exemples l'assurent, il suffit d'une maîtrise minimale pour que ces procédures, en tous lieux du texte, accomplissent sereinement les plus inadmissibles métamorphoses. C'est que, évidence toujours éclipsée, ce qui, dans un texte, se prétend réel, n'est jamais qu'une fiction au même titre que ce qui s'y prétend fiction. Le cheval de marbre, tout comme le cheval de chair, est le pur effet d'un langage organisé. La transmutation n'affecte donc pas la fiction en tant que telle : on ne passe jamais que d'une fiction à une autre. Elle concerne seulement la dimension référentielle de cette fiction. Elle réveille donc, brutalement ou avec toutes sortes de subtilités encore plus efficaces, le lecteur qui rêve si intensément sur le texte qu'il prend les fictions pour des réalités.

Mais, comme les événements fictifs sont l'effet d'un langage calculé, il faut bien admettre qu'il puisse y avoir, en cours de récit, des mutations stylistiques. C'est au niveau du style que s'accompliront cette fois, insidieusement, les captures et les libérations. La tactique comporte deux phases : d'une part, opérer l'appropriation d'une tournure ou d'un lexique par un récit ; d'autre part, utiliser telles tournures ou tel lexique dans un autre, de manière à le perturber. La meilleure manière pour un récit de s'approprier une formule, c'est, évidemment, de la répéter jusqu'à ce qu'elle devienne un tic : il suffira ensuite de l'émettre ailleurs, à doses contrôlées. Ainsi pratique çà et là Pinget, par exemple dans *Le Libera*. D'abord, répétition : « Si la Lorpailleur est folle *je n'y peux rien*. Si la Lorpailleur est folle *je n'y peux rien*, nul n'y peut rien (...). Si la Lorpailleur est folle *ai-je dit à Verveine* moi *je n'y peux rien*, nul n'y peut rien, arrangez-vous pour la faire enfermer » (p. 7). Puis, transfert : « *Verveine répond* moi *je n'y peux rien* » (p. 8).

Ainsi ai-je opéré, systématiquement, dans *Les Lieux-dits*. Ce texte comporte la longue citation d'un opuscule étrange, *Le Jardin des oppositions*. Ce dernier a la forme d'un journal sans date où chaque jour se distingue du précédent par le mot *aujourd'hui* : « *Aujourd'hui*. Diverses suggestions tactiques des plus singulières envahissent mon esprit. Leurs raffinements étranges, souvent, m'incitent à les repousser. *Aujourd'hui*. Elles reviennent. *Aujourd'hui*. Mes recherches m'obsèdent à un point tel que, par rapport à celui des humains, l'univers des fourmis me semble, curieusement, de tout autre envergure. *Aujourd'hui*. Elles reviennent » (p. 130-131). Ainsi capté, il suffit que le mot *aujourd'hui* se rencontre hors cet opuscule dans le reste du livre, pour que le reste du livre tende à devenir, ainsi transmuté, une part de cet opuscule. Cela se passe en amont : « Quel que soit le motif du passage à Beaufort, qu'il dépende d'une décision capricieuse ou réponde aux exigences d'un itinéraire hâtif traversant aveuglément la province, qu'il ait été choisi par de subtils calculs ou, plus simplement, *aujourd'hui*, en raison des promesses contenues semble-t-il dans ce vocable... » (p. 29). Aussi bien qu'en aval : « — Tout cela, une fois de plus, *aujourd'hui*, est une métaphore. Et son regard, en l'extrême profondeur fictive, contemple les massives sédimentations de blancheurs » (p. 160).

2.7. Le récit enlisé

Nous l'avons noté (2.2) : le récit peut être victime du récit. Que, par une sophistication excessive, il s'exhibe, et voici qu'il se trahit. De même, qu'il s'efforce d'accentuer la dimension référentielle sur laquelle il s'appuie, et voici qu'il la met en cause. Telles sont, en effet, les aptitudes paradoxales de la *description*, de l'*approximation*, de l'*alternance*.

2.7.1. Enlisement descriptif

• **L'arbre de la description.** Puisqu'elle est astreinte au linéaire, la description est vouée au digressif. Le référent auquel elle se confronte ne saurait jamais se réduire à une ligne : il l'excède, ainsi, foncièrement. Face à cette profusion foisonnante, la description découpe : sa disposition logique est une arborescence. Pour tel objet qu'elle se choisit (nommons-le objet principal), elle peut définir trois ordres de grandeur : sa situation, ses qualités, ses éléments. L'objet principal fait partie d'un ensemble plus vaste : déterminer sa *situation* dans cet ensemble, par exemple du point de vue de l'espace et du temps, c'est faire surgir de nouveaux objets ; nommons-les *objets secondaires extérieurs*, éventuellement matière à description. L'objet principal jouit aussi d'un ensemble de *qualités* ; couleurs, dimensions, formes, nombre, etc. En outre, il est le plus souvent composé lui-même d'un ensemble d'*éléments* ; nommons-les *objets secondaires*

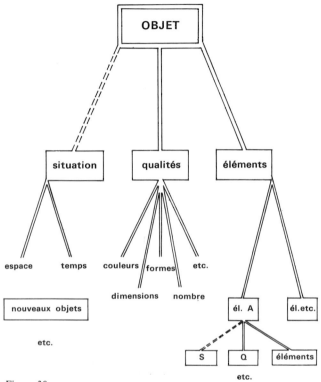

Figure 30

intérieurs, éventuellement matière à description (figure 30). Cette configuration permet d'éclaircir deux phénomènes : d'une part le vertige de l'exhaustif, d'autre part la projection parenthétique. Pour cela, il importe de bien saisir le rapport entre la ligne descriptive et l'arbre de la description.

• **Le vertige de l'exhaustif.** Nous le savons : il y a un penchant du descripteur pour ce qu'on appelle des minuties. C'est le vertige de l'exhaustif, qu'on pourrait nommer *la tentation de saint Gustave* : dans *Madame Bovary*, la description se prend à inscrire jusqu'aux « couleurs superposées » des iris de l'héroïne. Prompte à occulter une fois de plus le travail du texte, l'idéologie régnante s'empresse de réduire le phénomène étrange à l'expression d'une vision singulière de l'auteur : un goût immodéré pour les petites choses. C'est se dispenser un peu trop de comprendre la leçon du jugement flaubertien selon lequel, en art, il n'y a pas de minuties. En fait, les minuties descriptives découlent, non pas d'une manière de voir, mais d'une façon d'écrire. Elles proviennent de la pratique descriptive, en laquelle l'écrivain subit une tentation permanente : celle de toujours descendre, jusqu'aux microscopies, l'arbre logique de la description. Le problème est donc double : saisir d'une part le mécanisme qui suscite cette descente, d'autre part le mécanisme qui en assure le freinage et l'arrêt.

Remarquons-le : *au niveau de la ligne descriptive, il n'y a jamais d'objets secondaires : la description porte tout au premier plan.* Quel que soit l'objet secondaire interne qui survienne, cet élément bénéficie, au moment de sa venue, du plein feu de l'attention et devient à son tour objet principal digne de recevoir tout l'intérêt descriptif. La description est ainsi une machine à enfreindre les hiérarchies convenues. Faire intervenir tel élément de l'ensemble à décrire, c'est s'ouvrir au vertige de la description infinie : celle de ses éléments, puis, innombrablement, des éléments de ses éléments. Au cours de cette analyse descriptive débridée, *on perd de vue l'objet*, toujours remplacé, indéfiniment, par quelqu'une de ses parties. Ce qui est donc mis en cause ici, c'est ce qui, pour se poursuivre, connaît l'impérieux besoin de l'intégrité référentielle de l'objet : *le récit. C'est la force unitaire du récit qui s'oppose à la force disruptive de la description et en interrompt le procès de fragmentation infinie.*

• **La projection parenthétique.** Ce que nous venons d'étudier, en somme, à l'instant, c'est l'efficace de la ligne descriptive sur l'arbre de la description. Il importe d'observer maintenant l'action inverse : celle de l'arbre sur la ligne d'écriture. Elle se marque par la projection de l'arbre sur cette ligne. Cette projection ne doit nullement être confondue avec la remontée de l'arbre, car celle-ci résorbe toute la description pour conduire à une pure et simple *dénomination* de l'objet. Pour l'étudier, il nous faut un exemple.

« La jeune voyageuse blonde, assise dans le sens de la marche, l'épaule droite appuyée contre la vitre qui sépare le compartiment du couloir, a tourné le visage vers sa gauche.

Le front, le nez, la joue — les deux lèvres, roses —, le menton et le cou, bronzés, se détachent sur la moleskine verte, selon un profil très pur.

Le corsage en nylon blanc, dont la pellicule translucide épouse exactement les contours de la poitrine, délimite, en un triangle effilé, la partie visible de la gorge.

Les hanches, les jambes, sont prises dans un pantalon aux fines rayures vertes et blanches alternées. Les deux pieds qui en dépassent sont chaussés de spartiates à lacets jaunes.

Les deux mains serrent contre les genoux un album dont la couverture est illustrée par une photographie en noir et blanc » (*L'Observatoire de Cannes*, p. 12).

Sans prétendre ici à une construction détaillée de l'arbre, notons seulement les branches principales. *Situation :* « dans le sens de la marche », « la vitre qui sépare le compartiment du couloir », « sur la moleskine verte » ; *qualités :* « jeune, blonde, assise » ; *éléments :* les divers aspects du corps selon la découpe des vêtements, eux-mêmes portés au premier plan et travaillés par la description. Quant au récit lui-même, son énoncé se réduit à « la voyageuse a tourné le visage ». On le voit donc : la projection de l'arbre sur la ligne s'accomplit selon un jeu de parenthèses. Ainsi, pour choisir l'occurrence la plus simple, aurait-on pu écrire : « La voyageuse a tourné le visage (le front, le nez, la joue — les (deux) lèvres (roses) —, le menton et le cou (bronzés)) vers sa gauche. » *Toutes les précisions descriptives sont, en droit, des parenthèses dont le degré marque le niveau dans l'arbre logique de la description.*

En fait, elles n'ont pas toutes le même statut. Ce qui le détermine, pour chacune, c'est le résultat de son combat avec la phrase qui contient le principal objet décrit. Telle est, en effet, la stratégie du récit : *faire que la dislocation descriptive soit subsumée par l'unité d'une construction syntaxique.* Or il est clair que l'incorporation des aspects descriptifs par la syntaxe est inversement proportionnelle à leur nombre et à leur complexité. Par ordre croissant de ce facteur double, on distinguera ainsi : les *parenthèses intégrées* (épithètes, attributs, appositions, compléments, etc.), les *parenthèses englo-*

bées (les aspects descriptifs échappant à l'intégration, accèdent à une autre construction syntaxique seulement incluse dans la précédente selon la parenthèse habituelle), les *parenthèses extérieures*. En ce cas, pour éviter la périlleuse pullulation des parenthèses par laquelle la syntaxe serait perturbée, chacune devient, ultérieurement, une phrase indépendante : c'est le cas, ci-dessus, pour les diverses parties du corps.

Par l'invasion de ses parenthèses, la description est donc une machine à enliser le récit. De là vient que les écrivains de l'euphorie diégétique, tel Homère, multiplient les actions à l'intérieur des descriptions, et que les écrivains de la contestation diégétique, tels les Nouveaux Romanciers, multiplient les descriptions à l'intérieur des actions.

• **Descriptions antidiégétiques.** Ainsi *Le Voyeur*, d'Alain Robbe-Grillet, peut se définir comme un récit qui n'arrive pas à démarrer. Après quelques événements apparemment mineurs, une description monumentale s'instaure, en effet, dont voici un paragraphe : « Le quai, rendu plus lointain par l'effet de perspective, émet de part et d'autre de cette ligne principale un faisceau de parallèles qui délimitent, avec une netteté encore accentuée par l'éclairage du matin, une série de plans allongés, alternativement horizontaux et verticaux : le sommet du parapet massif protégeant le passage du côté du large, la paroi intérieure du parapet, la chaussée sur le haut de la digue, le flanc sans garde-fou qui plonge dans l'eau du port. Les deux surfaces verticales sont dans l'ombre, les deux autres sont vivement éclairées par le soleil — le haut du parapet dans toute sa largeur et la chaussée à l'exception d'une étroite bande obscure : l'ombre portée du parapet. Théoriquement on devrait voir encore dans l'eau du port l'image renversée de l'ensemble et, à la surface, toujours dans le même jeu de parallèles, l'ombre portée de la haute paroi verticale qui filerait tout droit vers le quai » (p. 13).

D'une façon analogue, le début d'*Été indien*, de Claude Ollier, est entrecoupé de ces descriptions précises sur lesquelles vient buter le récit : « Donc, la route traverse un pays plat : bande d'asphalte étroite, faiblement ondulée, et de chaque côté, de profil à présent, les plantes aux feuilles gris bleu, vert pâle, ressemblant à des palmiers nains. A droite, le fossé, le talus, la murette, puis les touffes dressées sur les troncs

courts et bulbeux, un rang, un vide, l'échappée au ras du sol
jusqu'à l'autre extrémité du champ, un second rang, un
second vide, et à gauche les mêmes éléments dans le même
ordre se retrouvent, semblables par la taille, la forme, la couleur, l'éclairement, l'amoncellement des pierres, le nombre,
la coupe des feuilles, l'éclat des pierres, les reflets, l'oscilla-
tion des branches, la pellicule de poussière sur le plat des feuilles, les touffes de fibres mortes aux cassures des troncs,
l'entassement des pierres, le frémissement des feuilles sous
le vent — les deux moitiés du paysage parfaitement symétriques de part et d'autre de l'axe gris noir, luisant, légèrement
bombé » (p. 9-10).

Songeons aussi à l'inventaire qui ouvre *Le Palace*, de
Claude Simon : « ...deuxièmement : deux chaises de salle à
manger de ce faux style Renaissance allemand, à hauts dos-
siers de bois noir et sculpté présentant en leur sommet une
sorte d'écusson ovale légèrement bombé encadré de volutes
imitant des feuilles de parchemin retroussées, les deux mon-
tants latéraux du dossier et les pieds en forme de colonnes
torsadées, leurs sièges recouverts d'un velours pelucheux et
grenat pelé laissant voir, au centre, la trame jaunâtre ; troi-
sièmement : une petite table de bureau supportant des pape-
rasses et une machine à écrire noire, la marque de fabrique
(Remington) en lettres dorées à demi effacées ; quatrième-
ment : un grand canapé (vraisemblablement déménagé, lui,
non d'un couvent, mais d'un bordel de luxe, à moins que ce
ne fût du palais d'un évêque) en bois doré (pas à la feuille,
mais à l'aide de cette peinture bon marché d'un jaune à base
de bronze — ce qui inclinait le pronostic en faveur du bordel), recouvert d'une soie d'un rouge fané ou plutôt rosâtre,
à reflets moirés, encore en assez bon état sur le dossier, mais
usée sur le siège, s'effilochant en échelles de fibres parallèles
et fines comme des cheveux ; cinquièmement : un rocking-
chair en bois verni jaune, le dossier et le siège cannés, bon
état ; sixièmement : une chaise de cuisine en bois, siège de
paille ; septièmement... » (p. 14-15).

2.7.2. L'extension scripturale du temps

• **Extension descriptive.** Cet enlisement du récit s'éprouve comme une étrange extension du temps. Ailleurs (« Temps de la narration », dans *Problèmes du Nouveau Roman*), nous avons défini la *vitesse du récit*. C'est le rapport du temps référentiel (le temps censé s'être passé à hauteur d'aventures) et du temps littéral (pour simplifier : la durée correspondante de la lecture). Ce rapport s'éclaire avec notre disposition graphique des deux axes temporels (figure 31).

Toute rapidité du récit s'y inscrit selon une convergence ascendante des deux vecteurs de correspondance ; toute lenteur par une convergence descendante. Dans le cas de la description, nous le voyons, il s'agit d'une convergence parfaite, l'intersection, par laquelle se marque la forme extrême du ralentissement : l'arrêt. C'est que les divers aspects de l'objet, dans la mesure où ils sont liés non par une successivité mais par une simultanéité, occupent tous la même place ponctuelle sur l'axe du temps référentiel. Avec la description, un certain temps passe (celui de la littéralité lue) pendant lequel il ne se passe rien (aucun événement ne cimente les diverses parties de l'objet). Le temps des aventures y subit donc l'injection périlleuse d'un temps inutile. Si elle est systématiquement accrue, cette extension scripturale du temps de la fiction provoque d'irrémédiables dommages dans le développement du récit.

• **L'extension approximative.** Ceci est désormais clair : croire, de la description, qu'elle est une opération réaliste, c'est partager, notamment, avec certains romanciers, une illusion parfaite. L'effet antiréaliste de la description est double : d'une part, elle altère la disposition référentielle de l'objet (étalant une simultanéité en successivité) et, d'autre part, elle empêche, par ses interruptions intempestives, le déroulement référentiel du récit. En somme, le récit ne peut se passer de ce qui foncièrement le conteste : la description. S'en défendre, pour lui, c'est toujours la restreindre : l'obliger à tendre vers une pure et simple *dénomination*.

Il s'ensuit, plus généralement, que tout refus de la stricte dénomination porte atteinte au récit. Or, nous le savons, le

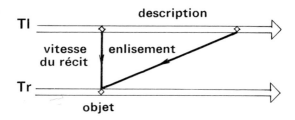

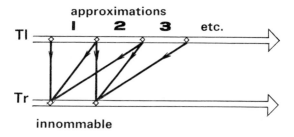

Figures 31 et 32

refus de dénommer est une des caractéristiques principales des textes de Nathalie Sarraute. Aspirant à transmettre ce qu'elle appelle l'innommé, elle en fait un innommable. Elle prend grand soin de ne pas lui donner de nom : ce serait le figer, perdre sa spécificité au profit de la banalisation d'un langage convenu. Dans « Ce que je cherche à faire » (*Nouveau Roman : hier, aujourd'hui*), elle remarque : « A peine cette chose informe, toute tremblante et flageolante, cherche-t-elle à se montrer au jour qu'aussitôt ce langage si puissant et si bien armé, qui se tient toujours prêt à intervenir pour rétablir l'ordre — son ordre — saute sur elle et l'écrase » (p. 37), et encore : « Là où ce langage étend son pouvoir, se dressent les notions apprises, les dénominations, les définitions, les catégories de la psychologie, de la sociologie, de la morale. Il assèche, durcit, sépare ce qui n'est que fluidité, mouvance, ce qui s'épand à l'infini et ce sur quoi il ne cesse de gagner » (p. 37).

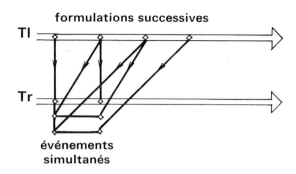

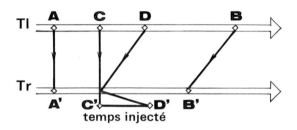

Figures 33 et 34

Pour éviter le gel de cette liquidité, elle recourt donc aux approximations. Non point une seule, car ce serait aussitôt lui offrir un peu trop de privilèges, mais toujours un ensemble : le texte progresse par groupes de circonlocutions, par grappes de qualifications diverses, par essaims de métaphores, par troupes de saynètes. Ainsi, dans *Vous les entendez ?*, des paragraphes entiers tournent autour de la particularité innommable d'un rire : « Oui, des rires jeunes. Des rires frais. Des rires insouciants. Des rires argentins. Clochettes. Gouttelettes. Jets d'eau. Cascades légères. Gazouillis d'oiselets... ils s'ébrouent, ils s'ébattent » (p. 7-8). « Oui, des rires clairs, transparents... De ces rires enfantins et charmants qui passent à travers les portes des salons où les dames se sont retirées après le dîner... Amples housses de chintz aux teintes passées. Pois de senteur dans les vieux vases. Des charbons rougeoient, des bûches flambent dans la cheminée... Leurs rires innocents, mutins, juste un peu malicieux, fusent... Fossettes, roseurs, blondeurs, rondeurs, longues robes de tulle, de dentelle blanche, de broderie anglaise, ceinture de moire, fleurs piquées dans les cheveux, dans les corsages... les notes pures de leurs rires cristallins s'égrènent... » (p. 8), etc.

Disposons le schéma de cette qualification multiple : il est immédiat qu'elle opère, tout comme la description, un enlisement du récit (figure 32). En ce début de *Vous les entendez ?* le récit, tout comme dans *Le Voyeur*, éprouve les pires difficultés à obtenir son démarrage, toujours entrecoupé qu'il se trouve par de nouvelles parenthèses qualificatives. Telles : « Des rires argentins. Des rires cristallins. Un peu trop ? Un peu comme des rires de théâtre ? Non, peut-être pas... Si, tout de même, on dirait qu'il est possible de déceler... Mais non, voilà une légère explosion, de celles qu'on ne peut pas empêcher... » (p. 12).

Si cette procédure est systématique chez Nathalie Sarraute, elle est loin d'être absente chez plusieurs autres Nouveaux Romanciers. Claude Simon l'a utilisée à sa façon, par exemple dans *La Route des Flandres*, en multipliant les rafales de participes présents et d'adjectifs qualificatifs : « ... le canon sporadique frappant dans les vergers déserts avec un bruit sourd monumental et creux comme une porte en train de battre agitée par le vent dans une maison vide, le paysage tout entier inhabité vide sous le ciel immobile, le monde arrêté figé *s'effritant se dépiautant s'écroulant* peu à peu par morceaux comme une bâtisse abandonnée, inutilisable, livrée à l'*incohérent, nonchalant, impersonnel* et *destructeur* travail du temps » (p. 314).

On le voit : sarrautiennes ou simoniennes, telles séries qualificatives rejoignent le phénomène des variantes. C'est dire, inversement, que toutes variantes opèrent, dans le récit, outre les effets déjà analysés, une manière d'*enlisement épars*.

• **L'extension alternative.** Nous l'avons lu : ce qui provoque un enlisement du récit, c'est l'étalement du simultané en successif. Outre la description et l'approximation, un autre dispositif connaît donc le même fonctionnement : l'alternance. Non moins que les diverses parties d'un objet, plusieurs événements peuvent prétendre au simultané. Et certes, non moins que pour les parties d'un objet, leur formulation est successive. En ces occurrences, le texte est donc astreint à accroître sa disposition parenthétique, chaque parenthèse implicite contenant non plus seulement de pures précisions descriptives, mais les narrations emboîtées d'un certain nombre d'événements. Chaque événement n'assure plus dès lors son propre déroulement qu'en brisant le déroulement de quelque autre (figure 33). *Le récit ne peut plus avancer qu'en s'interrompant lui-même.* L'alternance est ainsi une machine à fabriquer des *mises en suspens*. Si elle est très contrôlée et limitée à deux plans de simultanéité, elle est évidemment une parfaite recette du suspens : songeons à l'hitchcockien *Inconnu du Nord-Express* ou à l'exupérien *Vol de nuit*. Si, s'aggravant, elle met en jeu toute une pile de niveaux simultanés, le suspens irrémédiablement se détériore. Le récit s'enlise, de rupture en rupture, dans l'épaisseur labyrinthique du contemporain.

Ainsi, dans *Passage de Milan*, la propagation du récit selon les douze heures nocturnes en arrive à se trouver freinée, périodiquement, par les déplacements d'un étage à un autre. Entité à laquelle le récit s'attaque, la maison, par son architecture stratifiée, y est un mécanisme à engendrer du digressif. Dans une autre perspective, toute guerre des récits, comme *La Prise de Constantinople*, procède nécessairement, avec les mêmes contrecoups, par séries de digressions calculées.

Mais c'est Claude Simon, sans doute, qui a porté le phénomène à son paroxysme, dans nombre de ses romans. Qu'une scène y subisse l'interruption de quelque autre et, quand elle se continue, c'est par la suite du geste resté en suspens (figure 34). Tel, dans *Triptyque*, ce nocturne coït urbain, suspendu soudain par toute une diurne scène campagnarde et qui reprend pratiquement où il en était resté : « *Tandis qu'elle maintient solidement contre elle d'un de ses bras le buste de l'homme, son autre main descend rapidement, s'empare du membre à la tête cramoisie sorti d'elle et, relevant sa cuisse plus haut encore, le replace dans son vagin.* Les clameurs et les sifflets des spectateurs continuent à s'élever. L'ombre qui s'étend peu à peu sur la vallée atteint les premières pentes du versant est et commence à remonter le long des prés, mais elle n'a pas encore atteint la lisière des bois. Une ronde de corneilles tournoie lentement, très haut dans le ciel, au niveau de la falaise rocheuse [... 70 lignes...] L'un des garçons qui a observé l'échange de regards entre la domestique et le chasseur aux cheveux frisés pousse l'autre du coude et lui montre la silhouette qui s'écarte, tirant la petite fille par la main. *Le visage blafard et renversé de la femme adossée au mur dans l'étroite impasse semble flotter sur l'ombre, faiblement éclairée non par le pinceau lumineux qui jaillit horizontalement du vasistas et passe bien au-dessus de sa tête, mais par la diffraction de sa lumière sur les gouttes de pluie qui continuent à le rayer de stries argentées. A présent les violentes poussées que donne à chacune de ses allées et venues le bassin de l'homme la soulèvent presque de terre, l'écrasant contre le mur dont sa tête heurte chaque fois les briques*» (p. 53-56).

Telle est donc l'efficace de la parenthèse : entre les deux fragments qu'elle sépare, il a bien pu ne s'écouler aucune durée et, pourtant, les événements inscrits dans la parenthèse y ont introduit du temps. Par cette scripturale injection de temps dans le temps, toutes scènes, si brèves soient-elles, tendent respectivement, par leur action réciproque, vers une durée inadmissible. Une fois encore, par un effet de littéralité, excédant toute réduction référentielle, c'est d'un fondamental enlisement du récit qu'il s'agit.

3. Perspectives

3.1. Un mouvement

Travailler, comme nous l'avons tenté, avec les textes d'un ensemble d'écrivains, c'est certes heurter l'idéologie dominante de l'Expression. Pour celle-ci, on ne saurait jamais avoir affaire qu'à deux sortes de proses : celles qui appartiennent à une *Œuvre*, c'est-à-dire au groupe des textes exprimant la personnalité d'un auteur ; celles qui appartiennent à une *École*, c'est-à-dire à l'ensemble des textes de ceux qui, ayant abdiqué leur personnalité, obéissent à un groupe de directives bien établies. Or, nous l'avons souligné d'emblée, le Nouveau Roman ne montre aucun caractère d'une École : nul manifeste qui en ait prescrit les formules canoniques, nul chef qui, pour les faire admettre, ait sévi d'une autorité souveraine. Pour penser le Nouveau Roman, les critiques qui disposaient du seul antagonisme complice *Originalité/Scolarité*, se sont trouvés contraints à l'une des trois postures suivantes. Premièrement : le Nouveau Roman n'existe pas. C'est une simple coalition d'écrivains disparates proposée par des journalistes en mal de sensationnel, par un éditeur en quête de publicité. Deuxièmement : le Nouveau Roman est une École. Ses tenants appliquent à l'évidence des formules toutes faites qui seront d'ailleurs bientôt démodées. Comme on l'a dit plaisamment, ce sont des « robots-grillés ». La troisième, toutefois, dépasse ces simplicités excessives. Pour elle, le Nouveau Roman est un *groupement négatif*. Ainsi réussit-elle d'une part *à préserver la sacro-sainte originalité des œuvres* (ce qui unit ces écrivains, ce n'est pas une

concordance de leurs textes), d'autre part *à accepter l'idée
d'un ensemble* (c'est leur commun refus d'une certaine littérature passée). Seulement, pour astucieuse qu'elle soit, cette
position est battue en brèche au moins par les chapitres qui
précèdent. Entre les textes du Nouveau Roman, nous avons
décelé non seulement d'irrécusables parentés de procédures,
mais encore, sur l'ensemble, une stratégie commune quant
à la mise en cause du récit. Cette stratégie commune nous
semble former un pertinent critère pour définir ici un *mouvement*.

Évidemment, ces points communs n'empêchent nullement
la différence des textes. Cette différence, c'est précisément
ce que les adeptes du couple Originalité/Scolarité ne parvien-
nent pas à penser. Selon son binarisme, les textes ne peuvent
entretenir que les seuls rapports d'altérité (ils sont originaux)
ou d'identité (ils sont scolaires). Si certains points communs
se laissent entrevoir, cette similitude des textes est, par une
assimilation indue, transformée en identité. Illusion synec-
dochique, en somme, puisqu'il s'agit de l'extension à l'ensemble du texte des caractères de certaines de ses parties. Or
déclarer identiques, par cette réduction excessive, les textes
qui contestent le récit, conduirait, selon un irrépressible effet
de retour, à juger identiques, non moins, les innombrables
textes passés *qui acceptent le récit*. Les textes disposent en
fait d'une complexité suffisante pour participer à tel mouvement par certains de leurs aspects et offrir cependant, entre
eux, tout un jeu d'innombrables différences. Davantage :
c'est en s'appuyant sur ces points communs, nettement déli-
mités, qu'il devient possible, précisément, de penser telles
divergences. Partir d'un pluriel de textes n'est pas le chemin
le moins rigoureux pour accéder aux singularités. Mais, nous
l'avons écrit d'entrée, tel n'était pas notre propos.

3.2. Un nouveau nouveau roman

On l'aura remarqué : nulle part nous n'avons offert quelque phénoménologie que ce soit des grandes catégories selon lesquelles le roman est souvent pensé : ni le Temps, ni l'Espace, ni le Personnage, ni l'Objet. Pour intéressantes qu'elles soient, de semblables méthodes font souvent, pensons-nous, la part trop belle à la dimension référentielle de la fiction et risquent souvent de verser dans l'illusion représentative. Tels domaines, quand explicitement ou implicitement nous les avons évoqués, c'est toujours de biais, dans l'indirect, en les travaillant à partir des agencements de la dimension littérale, en étudiant les dispositifs selon lesquels le récit se trouve mis en cause. Ces dispositifs, nous avons tenté d'en offrir un groupe et, ostensiblement, sans tenir compte de la date de leur surgissement. Ce qui nous a conduit à opérer de la sorte n'est nullement un refus de l'historique : c'est la crainte des délicates et douteuses recherches de l'inaugural. Recherches délicates : il est difficile de découvrir l'initiateur d'une procédure. Elle est « dans l'air » quelquefois : toutes les conditions sont remplies pour qu'elle surgisse, ici et là, simultanément ; ou bien elle est simplement reprise, améliorée et relancée, à partir d'un embryon chez quelque autre. Recherches douteuses : elles conduisent insidieusement à une valorisation de l'origine par laquelle s'accomplirait encore la vieille partition, cette fois sous les espèces de l'original et de l'épigonal. A l'attribution incertaine des procédures au profit de celui-ci ou de celui-là, nous avons préféré leur circulation, évitant, ainsi, les appropriations d'auteur.

Cependant, encore que cette disposition ne puisse certes se réduire à un irréprochable alignement temporel, les procédures antidiégétiques dures se font plus fréquentes, de toute évidence, dans les productions plus récentes du Nouveau Roman. Comme notre propos consiste moins à *couvrir* un champ de lecture qu'à l'*ouvrir*, nous n'entrerons pas ici dans les détails. Distinguons seulement deux stades distincts séparés par un effet de bascule aux occurrences éparses et que, pour fixer grossièrement les idées, on pourrait associer respectivement aux années cinquante et aux années soixante. L'un, qu'on propose de nommer *Premier Nouveau Roman*, opère *une division tendancielle de l'Unité diégétique* et ouvre, de la sorte, une période *contestataire*. Le récit est contesté, soit par l'excès de constructions trop savantes, soit par l'abondance des enlisements descriptifs, soit par la scissiparité des mises en abyme et l'ébranlement, déjà, de diverses variantes ; toutefois, tant bien que mal, il parvient à sauvegarder une certaine unité. L'autre stade, que plusieurs, au colloque de Cerisy, ont appelé *Nouveau Nouveau Roman*, met en scène *l'assemblage impossible d'un Pluriel diégétique* et ouvre, de la sorte, une période *subversive*. En le domaine éminemment multiple et instable des variantes généralisées, de la guerre des récits, du conflit des rhétoriques, c'est en vain qu'un récit unitaire tend à se construire. *Du stade de l'Unité agressée, on est passé au stade de l'Unité impossible.* Le récit n'a donc point disparu : au cours de son procès, il s'est multiplié et ce pluriel est entré en conflit avec lui-même.

3.3. L'empire diégétique

Que d'artifices, dira-t-on, pour *mettre en cause* le récit.
Que d'artifices, dirons-nous, pour *mettre en œuvre* le récit.
Car les artifices du Nouveau Roman, qui sautent si bien
aux yeux du lecteur traditionnel qu'il ne parvient plus à lire,
ne sont rien d'autre que l'envers des artifices du récit courant qui lui crèvent tellement les yeux qu'il ne parvient plus
à les lire. Le prétendu *naturel* d'un récit dont certains, çà
et là, n'hésitent guère encore à nous entretenir, n'est rien
de moins, en effet, que l'ensemble des artifices auxquels
toute une idéologie nous a habitués. Ainsi, sur le plan du
récit, le Nouveau Roman produit au moins un double effet
de connaissance. D'une part, en travaillant le domaine des
Méta-Récits, dont le récit traditionnel n'est qu'une région
particulière, il explore l'incalculable champ des intelligibi-
lités nouvelles. D'autre part, en contestant et subvertissant
le récit traditionnel qui s'efforce de survivre dans les rigoureux climats du Méta-Récit, il en explore les conditions
d'existence, souvent inaperçues tant elles vont quotidienne-
ment de soi.
Aurions-nous tendance à croire anodine cette activité de
critique et de connaissance vis-à-vis du récit que les mouvements divers qui n'ont cessé de faire cercle autour du
Nouveau Roman nous assureraient du contraire. Nul doute
que quelque chose de douloureux soit touché ici : peut-être
l'essentiel. Car enfin, si, avec la venue des Sciences, son
domaine a commencé de décroître, qui mettrait sérieusement

en doute, aujourd'hui, l'hégémonie de l'*Empire du Récit*?
Nulle religion, probablement, qui se dispense de récits; à
tous ses niveaux, l'information en regorge; le jeu des
enfants inlassablement les multiplie; les rêves, sans fin, les
disposent; l'entreprise historique elle-même...

Mieux comprendre l'activité diégétique, son efficace sur
la manière de découper le réel, n'est donc guère une tâche
subalterne. Que le Nouveau Roman y participe permet de
mieux comprendre l'intérêt soutenu qu'il suscite, les aver-
sions obscurantistes dont il lui est permis de s'honorer. Est-
ce à dire qu'une sortie hors de l'Empire du Récit devien-
dra quelque jour possible? Cela, à n'en pas douter, est une
tout autre histoire.

4. Bibliographie

4.1. Ouvrages collectifs

Nous l'avons remarqué : la seule entreprise collective d'envergure du Nouveau Roman a été le colloque de Cerisy-la-Salle en 1971. Les actes en ont été publiés en deux volumes. Les interventions des Nouveaux Romanciers sont inscrites plus bas en italiques.

Nouveau Roman : hier, aujourd'hui, **colloque** UGE, **coll. « 10/18 », 1972, 444 p.,** *I. Problèmes généraux*

I. EXPOSÉS

1. *Le Nouveau Roman existe-t-il? (Jean Ricardou)* - **2.** Perspectives et modèles (Jean Alter) - **3.** L'imagination dans le Nouveau Roman (Michel Mansuy) - **4.** Aboutissement du roman phénoménologique ou nouvelle aventure romanesque ? (Renato Barilli) - **5.** Le Lecteur du Nouveau Roman (Denis Saint-Jacques) - **6.** Sociologie et Nouveau Roman (Jacques Leenhardt) - **7.** Nouveau Roman et cinéma : une expérience décisive (André Gardies) - **8.** Le Nouveau Roman comme critique du roman (Françoise van Rossum-Guyon) - **9.** Métaphore et Nouveau Roman (Pierre Caminade) - **10.** Description d'un archonte (Léo H. Hoek) - **11.** Le Nouveau Roman : révolution romanesque ? (Sylvère Lotringer) - **12.** Politique et Nouveau Roman (Raymond Jean) - **13.** Réflexions d'un Japonais sur le Nouveau Roman (Tsutomu Iwasaki) - **14.** Conclusion (Françoise van Rossum-Guyon).

II. INTERVENTIONS

Claude Ollier : 4 interventions. Jean Ricardou : 55. Alain Robbe-Grillet : 48. Nathalie Sarraute : 1.

Nouveau Roman : hier, aujourd'hui, **colloque** UGE, **coll.**
« 10/18 », **1972, 440 p.,** *II. Pratiques*

I. EXPOSÉS

1. L'Art de la stylisation chez Nathalie Sarraute (Micheline Tison-
Braun) - **2.** *Ce que je cherche à faire (Nathalie Sarraute)* - **3.** L'Image
de la création chez Claude Simon (Tom Bishop) - **4.** *La Fiction mot
à mot (Claude Simon)* - **5.** Robbe-Grillet n° 1, 2, ... X (Bruce Morrissette) - **6.** *Sur le choix des générateurs (Alain Robbe-Grillet)* - **7.** Le
jeu du texte et du récit chez Claude Ollier (Léon S. Roudiez) - **8.** *Vingt
ans après (Claude Ollier)* - **9.** *Comment se sont écrits certains de
mes livres (Michel Butor)* - **10.** Référence plastique et discours littéraire chez Michel Butor (Georges Raillard) - **11.** Robert Pinget : Le
Livre disséminé comme fiction, narration et objet (Fernand Meyer)
- **12.** *Pseudo-principes d'esthétique (Robert Pinget)* - **13.** L'Aventure ricardolienne du nombre (Hélène Prigogine) - **14.** *Naissance
d'une fiction (Jean Ricardou).*

II. INTERVENTIONS

*Claude Ollier : 18 interventions. Robert Pinget : 9. Jean Ricardou :
49. Alain Robbe-Grillet : 39. Nathalie Sarraute : 12. Claude Simon :
13.*

4.2. Michel Butor

Passage de Milan, roman, Éditions de Minuit, 1954, 286 p.

« Dans *Passage de Milan*, j'avais un immeuble parisien qui avait sept étages, je crois, et qui était pris de sept heures du soir à sept heures du matin. J'avais donc une superposition des étages et cette superposition des étages, je l'étudiais à travers une succession d'heures. Chaque heure correspondait à un chapitre et dans chacun des chapitres, j'étudiais quelques-uns des éléments superposés de l'immeuble. » (M. B., *Entretiens avec Georges Charbonnier*, Gallimard, p. 106.)

L'Emploi du temps, roman, Éditions de Minuit, 1956, 298 p.

« [Ce roman] est divisé en cinq parties. La progression de ces parties est toute simple : une complexité croissante des références au temps ; plusieurs époques vont intervenir. Première partie : ce qui s'est passé pendant un mois est raconté sept mois plus tard par le narrateur. Seconde partie : ce récit est perpétuellement interrompu par des références au présent, à ce qui se passe pendant que le narrateur écrit. Deux « mois » se superposent. Dans la troisième partie, un troisième mois intervient et ses apparitions vont être racontées en commençant par la dernière ; on remonte ainsi vers le passé. Dans la quatrième partie, il y a quatre mois qui se superposent, et cinq dans la dernière. » (M. B., Entretien avec Madeleine Chapsal, dans *Les Écrivains en personne*, Julliard, p. 64.)

« On trouve déjà un exemple rigoureux de ce ''dialogue entre deux temps'' dans le ''Récit de souffrances'' qui fait partie des *Étapes sur le chemin de la vie*, de Soeren Kierkegaard. Le narrateur y tient un "journal" de l'année précédente, qu'il entremêle de notations sur le présent : "Les lignes que j'écris le matin se rapportent au passé et appartiennent à l'année dernière ; celles que j'écris maintenant, ces 'pensées nocturnes' constituent mon journal de l'année courante." C'est entre ces deux voix que joue une "épaisseur" ou une "profondeur" psychologique. (...) Nous pouvons bien sûr augmenter le nombre des voix.» (M. B., *Répertoire II, Recherche sur la technique du roman*, Éditions de Minuit, p. 92.)

La Modification, roman, Éditions de Minuit, 1957, 236 p.

«Déjà, dans *La Modification*, j'avais utilisé le chemin de fer (...) pour des raisons de grammaire du récit (...) ; dans un horaire de chemin de fer, et surtout un horaire de chemin de fer français, il y a une liaison précise entre le temps et l'espace. Pour moi, c'est très intéressant, parce que cela permet, au lieu de dire en deux fois à quel moment on est et à quel endroit on est, cela me permet de dire tout cela simplement avec l'un des deux. Au bout d'un certain temps, lorsque j'ai mis en place mon système de références, il va suffire que je dise : je suis à Lyon, par exemple, pour qu'on sache (l'heure). Inversement, il suffira que je dise : il est 17 heures, pour que je sache exactement à quel endroit je me trouve.» (M. B., *Entretiens avec Georges Charbonnier*, Gallimard, p. 17.)

Le Génie du lieu, Grasset, 1958, 210 p.

«Il y a dans ce livre plusieurs textes sur des villes. Istanboul, Cordoue, Salonique, Delphes, dont trois plus courts sur Ferrare, Mantoue, un village de Crète ; enfin un texte sur l'Égypte. (...) Ce sont des textes de critique. (...) Le génie du lieu c'est le pouvoir particulier que prend tel lieu sur l'esprit. (...) Aussi y a-t-il une possibilité de faire la critique des lieux comme on fait celle des ouvrages littéraires, ou artistiques. On peut étudier l'effet que produit sur nous une ville, à l'égal d'un tableau, ou d'un livre.» (M. B., Entretien avec Madeleine Chapsal, dans *Les Écrivains en personne*, Julliard, p. 66.)

Répertoire I, études et conférences, Éditions de Minuit, 1960, 276 p.

Vingt et un essais : *Le Roman comme recherche*, rapports entre la recherche romanesque et la réalité (p. 7-11). — *L'Alchimie et son langage* (p. 12-19). — *Sur le* Progrès de l'âme *de John Donne* (p. 20-27). — *Racine et les Dieux* (p. 28-60). — *La Balance des fées*, sur les contes pour les enfants (p. 61-73). — *Sur* La Princesse de

Clèves (p. 74-78). — *Balzac et la réalité :* « Il est peu de lecture, par conséquent, qui soit plus enrichissante aujourd'hui pour un romancier, qui introduise mieux la lecture aux problèmes du roman contemporain » (p. 79-93). — La Répétition, *Kierkegaard* (p. 94-109). — Une possibilité, *Kierkegaard* (p. 110-114). — Les Paradis artificiels, *Quincey, Baudelaire* (p. 115-119). — Le Joueur, *Dostoïevski* (p. 120-129). — *Le Point suprême et l'Age d'or à travers quelques œuvres de Jules Verne* (p. 130-162). — *Les* Moments *de Marcel Proust* (p. 163-172). — *Sur les procédés de Raymond Roussel :* « De sourdes intentions le dirigent dans le choix de ses échos... » (p. 173-185). — *La Crise de croissance de la science-fiction* (p. 186-194). — *Petite croisière préliminaire à une reconnaissance de l'archipel Joyce* (p. 195-233). — *Esquisse d'un seuil pour Finnegan,* Joyce (p. 219-233). — *La Tentative poétique d'Ezra Pound* (p. 234-249). — *Les Relations de parenté dans* L'Ours *de William Faulkner* (p. 250-261). — *Une autobiographie dialectique, Michel Leiris* (p. 262-270). — *Intervention à Royaumont*, précisions sur le travail butorien du roman comme réconciliation de la poésie et de la philosophie (p. 271-274).

Degrés, roman, Gallimard, 1960, 390 p.

« Dans *Degrés*, je m'étais beaucoup intéressé à la couleur stylistique, parce que c'était un moyen pour moi de construire ce livre à facettes, à cause de l'emploi des citations qui allait correspondre aux différents moments du fonctionnement scolaire, en relation avec l'histoire de l'humanité, en particulier avec l'histoire de la littérature française. Il y a dans *Degrés* de longues citations qui vont de chapitre en chapitre, en particulier le livre est bâti autour d'une heure principale (...) qui raconte, comme par hasard, la découverte de l'Amérique. (...) Et cette heure de classe est illustrée par le professeur de deux lectures : une lecture qui est empruntée à Marco Polo, et une lecture qui est empruntée à Montaigne, deux auteurs qui me fournissaient une couleur stylistique tout à fait reconnaissable. » (M. B., *Entretiens avec Georges Charbonnier*, Gallimard, p. 149.)

Histoire extraordinaire, essai sur un rêve de Baudelaire, Gallimard, 1961, 272 p.

Le jeudi 13 mars 1856, un peu avant 5 heures du matin, Jeanne Duval, qui vivait alors avec Baudelaire, le réveilla en faisant du bruit avec un meuble dans sa chambre. Le rêve qu'il vient d'interrompre lui semble si drôle qu'il écrit immédiatement à son ami Charles Asselineau pour le lui raconter en détail... (Prière d'insérer anonyme.)

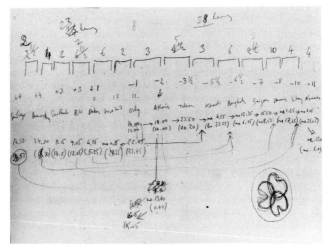

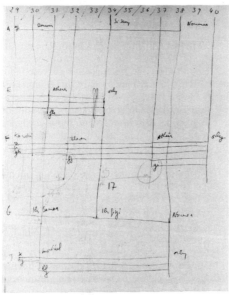

Calculs pour Réseau aérien.

« Dans cette lettre de Baudelaire, j'ai senti qu'il y avait le moyen de relier un certain nombre d'aspects de la vie et de l'œuvre de son auteur, de les présenter autrement qu'on ne le fait d'habitude, et de parvenir à une cohérence meilleure, les rendant ainsi encore plus forts et plus beaux (...). Il fallait que l'ouvrage se tînt en quelque sorte tout seul, comme un roman. » (M. B., *Répertoire II, Réponses à Tel Quel,* Éditions de Minuit, p. 295.)

Mobile, étude pour une représentation des États-Unis, Gallimard, 1962, 334 p.

« Dans *Mobile*, le temps passe de deux façons qui sont presque perpendiculaires l'une à l'autre. Il y a un temps superficiel, le temps de la description : on évoque les cinquante États les uns après les autres, ça fait cinquante chapitres et dans chaque chapitre il passe une heure (...). Les heures du jour défilent, ce qui va faire qu'il se passera un peu plus de deux jours à l'intérieur de *Mobile*. Perpendiculairement à ce temps-là, il y a, se déployant peu à peu, le temps de l'histoire des États-Unis. » (M. B., *Entretiens avec Georges Charbonnier*, Gallimard, p. 139.)

« [Le livre] est organisé autour d'un certain nombre de cellules, des cellules dont l'écorce, en quelque sorte, est écrite en caractères romains, plus noirs, et dont le centre, le noyau, en italiques. Ces cellules s'accrochent les unes aux autres, comme les cellules d'un organisme, comme les atomes dans de grandes molécules. Chacune de ces cellules est lié au nom d'une ville ou d'un village à l'intérieur d'un des cinquante États. Ces cinquante États sont dans l'ordre alphabétique. » (*Id.*, p. 157.)

Réseau aérien, texte radiophonique, Gallimard, 1962, 122 p.

Deux couples partent en même temps d'Orly pour Nouméa. L'un prend l'avion direct par l'est. L'autre va par l'ouest et devra changer à Los Angeles. Ils arriveront à peu près en même temps, mais l'un aura rencontré deux fois la nuit, et l'autre une fois seulement. A chaque escale un couple descend des avions venant de Paris ; un avion repart bientôt vers Paris, prenant un nouveau couple à chaque escale. A l'intérieur des carlingues les couples dialoguent ; l'oreille passe d'un appareil à l'autre, tourne autour de la Terre. (Prière d'insérer anonyme.)

***Votre Faust*, fantaisie variable genre opéra, Gallimard, 1962, 90 p.**

En collaboration avec Henri Pousseur. Tirage à part de la NRF.

L'*VII*, numéro spécial Michel Butor, 1962, 66 p.

On trouvera *Votre Faust*, en collaboration avec Henri Pousseur, autre version de la deuxième partie : *La Banlieue de l'aube à l'aurore.*

Description de San Marco, Gallimard, 1963, 112 p.

« Je faisais passer une foule devant, ou plus exactement, au-dessous de cette autre foule représentée en mosaïque, et je voulais de temps en temps qu'il pût y avoir des échanges entre les deux foules (…). Les bribes de conversation que l'on entend ont été construites systématiquement, parce que je voulais déjà qu'il y ait là un sentiment de retour ; je voulais lier ces bribes de conversation de telle sorte qu'elles ne se suivissent pas d'une façon purement linéaire, mais qu'elles formassent des espèces de nuages. » (M. B., *Entretiens avec Georges Charbonnier*, Gallimard, p. 117.)

[A propos des dispositions typographiques :] « Les procédés actuels, pourvu qu'on les étudie quelque peu, permettent de réaliser d'une façon très simple des arrangements qui auraient demandé autrefois un travail fort délicat. Il suffit de voir les journaux, les annonces, les manuels scolaires, les ouvrages scientifiques, les éditions savantes. Des ressources mises ainsi à la disposition des écrivains sont si grandes qu'ils n'ont plus le droit de les ignorer. Il suffit d'un peu de courage. » (M. B., *Répertoire II, Sur la page*, Éditions de Minuit, p. 102.)

Répertoire II, essais, Éditions de Minuit, 1964, 304 p.

Vingt et un essais : *Le Roman et la Poésie* explique comment « ce n'est pas seulement par passages que le roman peut et doit être poétique, c'est dans sa totalité » (p. 7-26). — *La Musique, art réaliste* (p. 27-41). — *L'Espace du roman* contient notamment l'analyse d'une description du *Père Goriot* (p. 42-50). — *Philosophie de l'ameublement, Poe, Baudelaire, Balzac, Xavier de Maistre :* « Écrire un roman (…) ce sera non seulement composer un ensemble d'actions humaines, mais aussi composer un ensemble d'objets tous liés nécessairement à des personnages, par proximité ou par éloignement » (p. 51-60). — *L'Usage des pronoms personnels dans le roman* (p. 61-72). — *Individu et groupe dans le roman* (p. 73-87).

— *Recherches sur la technique du roman*, rôle du roman dans la pensée contemporaine, suite chronologique, contrepoint temporel, discontinuité temporelle, vitesses du récit, propriétés de l'espace, personnes, transformation des phrases, structures mobiles (p. 89-99). — *Sur la page, Mallarmé, Restif de la Bretonne, Claudel* (p. 100-103). — *Le Livre comme objet*, objet commercial, horizontales et verticales, obliques, marge, caractères, figuration, la page dans la page, diptyques, index et tables (p. 104-123). — *Sur la déclaration des 121* (p. 124-126). — *Le Critique et son public*, le destinataire, la postérité, l'œuvre à la recherche de son destinataire, déterminations inévitables, la situation du critique (p. 127-134). — *Rabelais* (p. 135-138). — Les Nouvelles exemplaires, *Cervantes* (p. 139-145). — *Sur Les Liaisons dangereuses* (p. 146-151). — *Chateaubriand et l'ancienne Amérique* (p. 152-192). — Les Parents pauvres, *Balzac* (p. 193-198). — *Babel en creux, Hugo* (p. 199-214). — *Victor Hugo romancier* (p. 215-242). — *Mallarmé selon Boulez* (p. 243-251). — *Les Œuvres imaginaires chez Proust* (p. 252-292). — *Réponses à Tel Quel* (p. 293-301).

Essais sur les Modernes, Gallimard, 1964, 378 p.

Ce livre contient la plupart des textes de *Répertoire I*.

Illustrations, Gallimard, 1964, 216 p.

« *Illustrations* s'est formé à partir de sept textes tous publiés auparavant, provoqués par des images, et composés sans que j'eusse alors songé à les reprendre dans un tel volume où ils ont été remaniés, d'abord pour pallier l'absence des peintures, gravures ou photographies qui leur avaient donné naissance puis pour assurer son architecture. *La conversation* qui sert d'ouverture (est) un rêve éveillé déterminé par la vision de quelques tableaux d'un peintre italien du XVIIIe siècle, Alessandro Magnasco (...). *Rencontre* a d'abord été publié avec les cinq grandes eaux-fortes d'Enrique Zañartu. (...) *La Gare Saint-Lazare* (...) : il s'agissait de lier par des légendes un certain nombre de photographies de Jean-Pierre Charbonnier réparties en cinq doubles pages. *Litanie d'eau* (...) a pour origine (...) quinze eaux-fortes de Grégory Masurovsky ». (M. B., « Comment se sont écrits certains de mes livres », dans *Nouveau Roman : hier, aujourd'hui, II. Pratiques*, UGE, coll. « 10/18 », p. 243-246.)

6 810 000 litres d'eau par seconde, **étude stéréophonique, Galli-**
mard, 1966, 282 p.

« Dans *6 810 000 litres d'eau par seconde*, il y a douze chapitres
qui correspondent aux douze mois de l'année (...). Une heure passe
dans le premier chapitre, deux heures dans le deuxième chapitre,
trois heures dans le troisième chapitre, et ainsi de suite, c'est-à-dire
que le temps s'accélère par rapport à la lecture (...). Nous avons
déjà deux temps superposés, nous avons une heure qui est prise au
premier mois, et puis ensuite on saute à deux heures qui sont prises
dans un mois plus tard, et on saute à trois heures qui sont prises
dans un mois plus tard. Derrière ce temps qui s'accélère, il y a cette
espèce d'accélération absolue, d'accélération immobile, dont l'image
est formée par les chutes du Niagara elles-mêmes. » (M. B., *Entretiens avec Georges Charbonnier*, Gallimard, p. 139.)

Répertoire III, **essais, Éditions de Minuit, 1968, 408 p.**

Vingt et un essais : *La Critique et l'Invention* montre que toute
invention est une critique : de la littérature, de la réalité, de la critique. Puisque toute critique est une invention, qu'il s'agisse de biographie ou d'érudition. Le texte, toujours en quelque façon inachevé,
appelle l'invention de la critique. Enfin il y a les transformations
que l'œuvre suscite prise en elle-même (les mises en abyme), prise
dans d'autres (citations), prolongée par d'autres (œuvre ouverte)
(p. 7-20). — *Sur l'archéologie* (p. 21-24). — *Sites grecs* (p. 25-31).
— *Un tableau vu en détail, Hans Holbein* (p. 33-41). — *La Corbeille de l'Ambrosienne, Caravage* (p. 43-58). — *L'Ile au bout du
monde, Rousseau (p. 59-101). — Diderot le fataliste et ses maîtres*
(p. 103-158). — *36 et 10 vues du Fuji, Hokusaï et Proust*
(p. 159-168). — *Les Parisiens en province, Balzac* (p. 169-183). —
La Voix qui sort de l'ombre, Hugo (p. 185-213). — *Germe d'encre,
Hugo* (p. 215-239). — *Claude Monet ou le monde renversé*
(p. 241-258). — *Lectures de l'enfance* (p. 259-262). — *La suite dans
les images, Picasso* (p. 263-268). — *Monument de vers pour Apol-
linaire* (p. 269-305). — *Le carré et son habitant, Mondrian*
(p. 307-324). — *Heptaèdre Héliotrope, Breton* (p. 325-350). —
L'Art de Mark Rothko (p. 351-369). — *Sous le regard d'Hercule,
l'art à Kassel* (p. 371-381). — *L'Opéra c'est-à-dire le théâtre*
(p. 383-390). — *La Littérature, l'oreille et l'œil* (p. 391-403).

Portrait de l'artiste en jeune singe, capriccio, **Gallimard, 1967, 228 p.**

« Ce livre a l'air simple et franc comme une autobiographie qu'il est. En fait, il est écrit d'une façon sournoise et les choses sont racontées avec ruse. Il est parcouru d'échos, d'allusions, qui fleurissent selon la culture du lecteur... Mais c'est vrai qu'il est d'abord autobiographique, c'est vrai que j'ai fait ce séjour en Allemagne dans les conditions que j'indique, dans un château tout à fait semblable à celui que je décris. C'est vrai que le comte O. W... faisait des réussites, qu'il possédait une magnifique bibliothèque pleine d'ouvrages d'alchimie, une collection de pierres, c'est vrai que j'ai beaucoup rêvé là-bas... Naturellement je n'ai pas rêvé cette parodie des *Mille et Une Nuits*, je ne suis pas sûr d'avoir lu en Allemagne tous les ouvrages que je cite ni que les noms des pierres dont je joue figuraient tous au catalogue de la collection du comte. Et j'ai inventé les patiences qui à la fin du récit de chaque journée font la transition avec le récit de la nuit.

« J'ai voulu faire une autobiographie construite. Il y a peut-être contradiction dans les termes... Mais non ! Toute autobiographie est une construction. Prenez les *Mémoires d'outre-tombe*, les historiens ont beau jeu quand ils détectent les mensonges !

« Ce que je cherche par cette construction ? Faire une composition dans le style allemand du XVIIIe siècle avec tout ce qui y reste de médiéval et exprimer ainsi notre relation profonde au Moyen Age.

« Dans ce livre, je me sers du vocabulaire alchimique comme le mystique allemand Jacob Boehme s'en servait pour expliquer le christianisme. Seulement, moi, c'est autre chose que j'explique.

« Prenez garde au titre du livre, qui est significatif. Naturellement, il contient une référence parodique à Joyce et à son *Portrait de l'artiste en jeune homme* ; à Dylan Thomas aussi et à son *Portrait de l'artiste en jeune chien*. Pourquoi le singe ? Sans doute dans le rêve tiré des *Mille et Une Nuits* le héros est métamorphosé en singe. Mais ce n'est pas la principale raison. Dans la symbolique médiévale, le singe représente l'artiste. Et surtout cet artiste par excellence qu'était l'alchimiste. L'un imite la nature, l'autre, dans le secret de son laboratoire, entre sa chaudière et ses cornues, refait inlassablement la création du monde. » (M. B., entretien avec Jacqueline Piatier, « Butor s'explique », dans *Le Monde*, 22 mars 1967.)

***Essais sur les Essais*, Gallimard, 1968, 216 p.**

Sur les *Essais de Montaigne.*

***Illustrations II*, Gallimard, 1969, 274 p.**

« D'un texte à l'autre une aventure de la façon dont les mots se donnent à lire se poursuit. A ce niveau ce sont les textes traités qui sont les personnages de cette narration d'un type nouveau. Dans *Illustrations II*, les textes personnages ne vont plus seulement se suivre, jalonner une aventure commune, mais dialoguer. La relation d'illustration qui était alors seulement interne à chaque texte traité, va passer de l'un à l'autre. » (M. B., « Comment se sont écrits certains de mes livres », dans *Nouveau Roman : hier, aujourd'hui, II. Pratiques*, UGE, coll. « 10/18 », p. 249.)

***La Rose des vents*, 32 rhumbs pour Charles Fourier, Gallimard, 1970, 176 p.**

« Sur les trente-deux périodes qu'il [Fourier] prévoit pour l'histoire de l'humanité, il ne nous décrit que les neuf premières. Pour illustrer cette étrange imagination, on a voulu la poursuivre, et compléter, sur les mêmes lignes, ce tableau. » (Extrait de Prière d'insérer signé M. B.)

***Où (Le Génie du lieu, 2)*, Gallimard, 1970, 398 p.**

« Cinq anecdotes météorologiques glanées autour de l'hémisphère nord : *La Boue à Séoul, La Pluie à Angkor, La Brume à Santa Barbara, La Neige entre Bloomfield et Bernalillo, Le Froid à Zuni*, (...) rassemblées autour de deux pôles : Paris que je hais et que j'ai fui (façons de parler), une montagne que je décris 35 et 9 fois.

« Comme dans *Illustrations II*, les textes-matériaux, tous conçus en vue plus ou moins claire de cette utilisation, se coupent mutuellement la parole, donnant ainsi au volume la même structure rayée qu'offrent si manifestement certaines pages (...). Dans aucun de mes livres jusqu'à présent, il n'y a autant d'insistance sur le fait qu'on tourne les pages, sur cette petite révolution dans laquelle on retrouve aussi celle qui est l'étymologie du mot strophe. » (M. B., « Comment se sont écrits certains de mes livres », dans *Nouveau Roman : hier, aujourd'hui, II. Pratiques*, UGE, coll. « 10/18 », p. 249.)

Dialogue avec 33 variations de Ludwig van Beethoven sur une valse de Diabelli, Gallimard, 1971, 146 p.

« Pour le *Dialogue avec 33 variations de Ludwig van Beethoven sur une valse de Diabelli*, j'ai dû refaire cent schémas avant de trouver la structure définitive qui me permette de dialoguer avec le compositeur. Beaucoup de pages de mes livres ont été retapées cinquante fois à la machine ; multipliez par le nombre de pages, vous aurez une idée approximative du brouillon produit. Pour comprendre ce qu'est l'encombrement de ma table de travail, représentez-vous que chaque ouvrage compte, d'une part, une version antérieure qui forme une pile que je recopie en travaillant, plus une version antérieure déjà recopiée, plus les deux cents suivantes non encore recopiées, plus une pile de papier blanc, plus les documents utiles : schémas, cartes de géographie, catalogues de grands magasins, livres d'auteurs pour les citations. (...)

« Mais si je recopie les pages les unes après les autres, c'est que tout va très bien. En général, ce que je transforme à la page 150 m'oblige à transformer également la page 75, ce qui fait que j'écris mes livres de tous les côtés à la fois. A cela s'ajoute le fait que je travaille presque toujours sur plusieurs livres en même temps. Vous concevrez que même pour un texte très court, je me retrouve très vite devant un foisonnement de papier absolument incompréhensible pour tout autre que moi. » (M. B., Entretien avec Jean-Louis de Rambures dans *Le Monde*, 11 juin 1971.)

Travaux d'approche, poèmes, Gallimard, 1972, 192 p.

Illustrations III, Gallimard, 1973, 158 p.

« Ce dont me parle la peinture. Tout autre chose que ce dont peut me parler le peintre dans sa conversation, en communication parfois. Lui répondre comme s'il m'avait envoyé une épître par son image. Puis mettre en relation ces correspondances. Faire de la vie de la peinture une sorte de roman par lettre. (M. B., Prière d'insérer.)

« C'est ce qui s'est passé pour un des textes d'*Illustrations III* où chaque morceau correspond très précisément à un dessin abstrait. Naturellement on reconnaît immédiatement quel est le morceau de texte qui va avec le dessin : je me suis amusé à rendre ces dessins très figuratifs, de la façon la plus simple possible. » (M. B., « Michel Butor au travail du texte », entretien avec M. Sicard dans *Le Magazine littéraire* n° 110, mars 1976, p. 25.)

Intervalle, **Gallimard, 1973, 162 p.**

Il y a quelques années un metteur en scène de cinéma vient proposer à Michel Butor l'anecdote suivante : « Un homme et une femme qui ne se sont jamais vus se rencontrent entre deux trains dans la salle d'attente de Lyon-Perrache, ont une demi-heure de conversation et repartent chacun de leur côté. » En fin de compte le film ne peut se faire, mais cette semence germe peu à peu. (Prière d'insérer anonyme.)

Répertoire IV, **Éditions de Minuit, 1974, 448 p.**

Vingt et un essais : *Le Voyage et l'Écriture* (p. 9-29). — *Les Mots dans la peinture* (p. 31-95). — *La Prosodie de Villon* (p. 97-119). — *Les Hiéroglyphes et les Dés*, sur Rabelais (p. 121-191). — *Le Féminin chez Fourier* (p. 193-207). — *La Spirale des sept péchés*, sur Flaubert (p. 209-235). — *Opusculum baudelairianum* (p. 237-244). — *Lautréamont court métrage* (p. 245-257). — *Émile Zola romancier expérimental* (p. 259-291). — *Les Sept Femmes de Gilbert le Mauvais*, sur Proust (p. 293-322). — *Ce que dit la femme 100 têtes*, sur Max Ernst (p. 323-329). — *Transfiguration*, sur Hérold (p. 331-339). — *Parade des sournois*, sur Steinberg (p. 341-349). — *Au moindre signe*, sur Olof Sundman (p. 351-364). — *Au gouffre du modèle*, sur Giacometti et Delacroix (p. 365-369). — *La Fascinatrice*, sur Roland Barthes (p. 371-397). — *Mode et moderne*, sur le vêtement (p. 399-414). — *Aveux*, sur Pierre Klossowski (p. 415-419). — *Sur mon visage* (p. 421-423). — *Éloge de la machine à écrire* (p. 425-429). — *Propos sur le livre aujourd'hui* (p. 431-443).

Matière de rêves, **récits, Gallimard, 1975, 138 p.**

I. *Le Rêve de l'huître* (p. 9-38). **II.** *Le Rêve de l'ammonite* (p. 39-72). **III.** *Le Rêve du déménagement* (p. 73-98). **IV.** *Le Rêve de Prague* (p. 99-121). **V.** *Le Rêve du tatouage* (p. 122-137).

« Dans *Matière de rêves*, un rêve (''Le rêve de l'ammonite'') est directement inspiré d'Alechinsky, fait pour aller avec ses eaux-fortes au départ, mais qui a subi de grandes transformations dans le recueil. » (M. B., « Michel Butor au travail du texte », entretien avec M. Sicard dans *Le Magazine littéraire* n° 110, mars 1976, p. 22.)

Second Sous-sol (Matière de rêves II), récits, Gallimard, 1976, 218 p.

I. *Le Rêve de Vénus* (p. 9-58). **II.** *Le Rêve des pommes* (p. 57-99). **III.** *Le Rêve de la montagne noire* (p. 100-137). **IV.** *Le Rêve de l'ombre* (p. 99-121). **V.** *Le Rêve de boules et d'yeux* (p. 183-218).

« Dans *Matière de rêves II*, j'introduis à l'intérieur du texte un rythme qui part de données très simples auxquelles les gens sont très habitués (opposition entre prose et poésie), mais comme c'est utilisé d'une façon un peu différente et systématisée, ça produit des effets nouveaux. Certaines parties du texte se détachent par rapport à d'autres. Au milieu des pages bien remplies, il y a des lignes plus courtes qui viennent couper cela : à partir de cette évolution, on pourrait avoir des choses beaucoup plus complexes, des textes dans lesquels une page de *6 810 000 litres d'eau par seconde* pourrait apparaître comme un cas particulier d'un nouveau livre. » (M.B., « Michel Butor au travail du texte », entretien avec M. Sicard, dans *Le Magazine littéraire* n° 110, mars 1976, p. 22.)

Illustrations IV, Gallimard, 1976, 146 p.

Troisième Dessous (Matière de rêves III), récits, Gallimard, 1977, 256 p.

I. *Le Rêve des conjurations* (p. 9-56). **II.** *Le Rêve des souffles* (p. 57-102). **III.** *Le Rêve des archéologies blanches* (p. 102-140). **IV.** *Le Rêve des temps conjugués* (p. 141-177). **V.** *Le Rêve des lichens* (p. 178-247).

« Tout le monde rêve et tout le monde refoule plus ou moins ce qu'il rêve. Dans ma série ''Matière de rêves'', j'ai inventé des rêves possibles à partir de motifs qui reviennent souvent dans mes vrais rêves. Il m'est arrivé parfois de rêver sur ces rêves que j'avais inventés. La boucle se refermait. » (M. B., « En vedette Michel Butor », entretien avec un interlocuteur anonyme, dans *Paris-Match*, 18 mai 1979.)

Boomerang, Gallimard, 1978, 464 p.

« Australie avec *Courrier des antipodes*, Colombie britannique avec *La Fête en mon absence*, USA avec *Bicentenaire Kit*, Singapour et tant d'autres îles avec *Archipel Shopping*, Brésil et Nice avec

Carnaval transatlantique, opéra fabuleux avec *Nouvelles Indes galantes*, séjours animaux avec *Jungle*,
    « par déserts et palaces, forêts et détroits, gratte-ciel et aéroports, marchés et taudis, quais et carrefours, jardins et temples, steppes et savanes,
    « Vénus renaissant perpétuellement de la mer des histoires,
    « bons voyages ! » (M. B., Prière d'insérer.)

    « Dans *Boomerang*, j'ai beaucoup utilisé le premier voyage de Cook, qui partit avec un naturaliste et un peintre. Ce voyage a été un précédent. Il fut organisé pour rapporter une information zoologique, botanique (...). Dans *Boomerang*, il y a une organisation de trajets différents, il y a des parties proches de *Mobile*, d'autres faites de citations de littérature, de tourisme, de prospectus, d'invitations au voyage... » (M. B., « Je suis moi-même plusieurs voyageurs », entretien avec D. Defert dans *Les Nouvelles littéraires*, 2 août 1979.)

Les Mots dans la peinture, essai (Skira), Flammarion, 1980, 158 p.

    « Il y a toujours du texte entremêlé dans la peinture : non seulement des mots peuvent être écrits sur le tableau, mais celui-ci nous apparaît toujours dans une certaine atmosphère de texte : là-dessus, je me suis expliqué dans *Les Mots dans la peinture*. Le langage est quelque chose qui se faufile partout. » (M. B., « Michel Butor au travail du texte », entretien avec M. Sicard dans *Le Magazine littéraire* n° 110, mars 1976, p. 24.)

Quadruple Fond (Matière de rêves IV), récits, Gallimard, 1981, 132 p.

    I. *Le Rêve d'Irénée* (p. 11-36). **II.** *Le Rêve de Jacques* (p. 37-58). **III.** *Le Rêve de Klaus* (p. 59-79). **IV.** *Le Rêve de Léon* (p. 80-108). **V.** *Le Rêve de Marcel* (p. 109-132).

Répertoire V et dernier, Éditions de Minuit, 1982, 334 p.

    Vingt et un essais : *D'où ça vous vient ?* (p. 7-22). — *La Littérature et la Nuit* (p. 23-32). — *La Ville comme texte* (p. 33-42). — *Sans feu ni lieu* (p. 43-61). — *Les Compagnons de Pantagruel* (p. 63-84). — *Marges pour l'Apocalypse* (p. 85-98). — *Bernardino de Sahagun* (p. 99-102). — *Dialogue avec Charles Perrault sur les fontaines de la fable* (p. 103-147). — *Les Révolutions des calendriers*

« Je crois que si l'on regarde l'ensemble maintenant on peut voir une évolution d'un volume à l'autre. Le premier ne concerne que la littérature. Avec le second intervient la musique ; avec le troisième la peinture ; avec le quatrième la géographie... Et toujours en conservant les autres fenêtres. Dans le dernier, je me suis efforcé d'avoir à la fois des échantillons de toutes ces voix et de varier encore la forme de ces essais. C'est pourquoi il y a des textes dialogués, alors qu'il n'y en avait pas dans les précédents. » (M. B., « Voir Butor en peinture », entretien avec D. Éribon dans *Libération*, 21 décembre 1982, p. 21.)

Improvisations sur H. Michaux, **Fata Morgana, 1985, 194 p.**

Mille et Un Plis **(Matière de rêves V), récits, Gallimard, 1985, 148 p.**

« Pour cette dernière plongée, quatre grands classiques du récit de rêve viennent à la rescousse de l'explorateur. Il lui a fallu les transcrire comme un harpiste adapte pour son instrument quelque pièce écrite pour un autre. Avec le même souci de fidélité. Les éclats ou piétinements de ces grands rêveurs se mêlent et se démêlent, entre eux et avec les miens, pour que vous y mêliez les vôtres et les démêliez par eux. Cela forme des nuées d'histoires en gestation, des nuages parcourus d'innombrables oiseaux.

« Pour ceux qui auraient lu les premiers volumes de cette série, celui-ci s'enrichera de mainte résonance. Pour ceux qui n'auraient pas lu les textes classiques, cette orchestration les colorera quand ils les découvriront dans leur instrumentation originelle. Quoi qu'il en puisse être, le livre est ouvert à tous ceux qui rêvent. » (M. B., Prière d'insérer.)

L'Œil de Prague, La différence, 1986, 200 p.

Improvisations sur Flaubert, La différence, 1988, 228 p.

Le Retour du Boomerang, récit, PUF, 1988, 146 p.

Improvisations sur Rimbaud, La différence, 1989, 202 p.

Au jour le jour, Plon, 1989, 168 p.

4.3. Claude Ollier

La Mise en scène, roman (Éditions de Minuit, 1959), UGE, coll.
« 10/18 », 1973, 442 p.

Le Maintien de l'ordre, roman (Gallimard, 1961), Flammarion,
1988, 214 p.

Été indien, roman, Éditions de Minuit, 1963, 216 p.

« *Dans une première période*, qui correspond aux trois premiers
livres, ces fictions sont construites autour d'un *centre perceptif iti-
nérant* qui, s'il n'est plus le personnage romanesque classique, peut
encore être rattaché à la notion même de personnage. Mais l'intrigue qu'il noue sans le savoir en croyant en dénouer une autre, du
fait de son incompétence, de sa maladresse et de son ignorance de
la langue parlée dans la contrée plutôt blanche où il débarque, cette
intrigue est d'un type tel, fondée sur des récurrences, qu'elle projette sur le ''personnage'' une lumière spectrale contribuant dans
une large mesure à le décomposer. Et en un sens, il y a bien décomposition : si ce centre perceptif a des raisons de considérer le terme
de sa première aventure comme un succès, il doit se montrer beaucoup plus réservé sur l'issue de la seconde, et la fin de la troisième
ne le trouve même plus là pour conclure qu'elle est catastrophique.
Chemin faisant, quelques indications sont données sur les identités
successives qui lui sont prêtées : ce voyageur emprunté ne porte que
des noms d'emprunt, et s'il apparaît si attardé dans ces textes, c'est
que — bien qu'interrogeant sans cesse — il est toujours en retard
sur l'événement. *Le principe de la démarche* dans ces trois aventures est que ce pseudo-personnage, dans l'espace où il est plongé, se
trouve dans le même rapport que l'écrivain face au langage, et que
le lecteur futur face à la fiction (...). Ou encore : à des *modèles gram-*

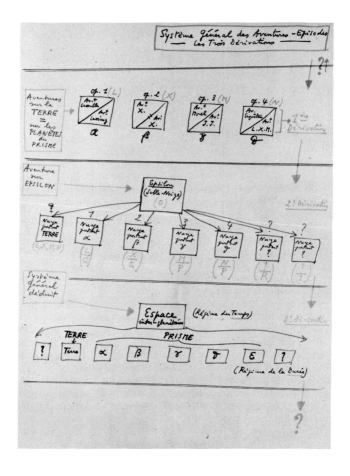

Rapports des quatre premiers romans de Claude Ollier avec le cinquième, La Vie sur Epsilon.

maticaux correspondent des *modèles spatiaux*, puis des *modèles textuels*, littéraires. C'est l'idée d'ITINÉRAIRE qui lie ces modèles entre eux.

« A la source de ce principe est le MIMÉTISME : les formes fictionnelles élémentaires de premier niveau MODÈLENT les vicissitudes de la démarche du héros. La narration, loin d'"'épouser'" le discontinu de l'aventure, *figure elle-même directement ce discontinu*, à la lettre, noir sur blanc. Et elle ne se fait pas faute, non plus, de mimer les grandes formes consacrées : *La Mise en scène* est un roman d'aventures coloniales, *Le Maintien de l'ordre* un roman politico-policier, *Été indien* un roman d'amour en bandes dessinées. » (C. O., « Vingt ans après », dans *Nouveau Roman : hier, aujourd'hui, II. Pratiques*, UGE, coll. « 10/18 », p. 207-209.)

L'*Échec de Nolan*, roman (Gallimard, 1967), Flammarion, 1988, 230 p.

« *Avec le quatrième livre*, c'est le constat d'échec, et le centre perceptif est brusquement décalé : une instance seconde prend le relais de l'infortunée initiale et se rend vite à l'évidence : seule *une critique textuelle des premières fictions* permettra de corriger la trajectoire dérisoire de l'aventurier. D'où l'idée d'amorcer avec ce livre un second cycle qui serait comme la dérivée du premier, ou sa reprise dans une perspective à quatre dimensions, ou plus simplement l'effet, sur la matière fictionnelle, d'un vigoureux tour d'écrou. *L'Échec de Nolan* est le pivot autour duquel s'articulent les deux développements spirales du système. C'est là aussi que s'énonce le principe de base qui va gouverner le second cycle : *l'incessante circulation des textes et des instances perceptives*, c'est-à-dire lectrices, dans une alternance de décomposition et de reconstruction. *Aux 3 + 1 du premier cycle vont donc correspondre 3 + 1 livres dérivés.* » (C. O., « Vingt ans après », dans *Nouveau Roman : hier, aujourd'hui, II. Pratiques*, UGE, coll. « 10/18 », p. 209-210.)

Navettes, textes brefs, Gallimard, 1967, 212 p.

« Également, *quelques satellites* accompagnent ces longs textes [les romans] : ce sont d'une part les textes brefs rassemblés dans le recueil *Navettes*, et d'autres écrits depuis lors (...). » (C. O., « Vingt ans après », dans *Nouveau Roman : hier, aujourd'hui, II. Pratiques*, UGE, coll. « 10/18 », p. 211.)

La Vie sur Epsilon, roman (Gallimard, 1972), Flammarion, 1984, 276 p.

« *La Vie sur Epsilon* repasse par les points qui définissent les coordonnées de *La Mise en scène*. Mais le système a été mis sur orbite, c'est dans un autre espace qu'il accomplit maintenant ses révolutions. Il était donc logique que ce cinquième livre, histoire de la vie sur la cinquième planète d'un système encore inexploré, soit un livre de science-fiction. Il en épouse les formules, sinon les formes strictes, et propose une théorie de l'espace fictionnel dont l'application à l'espace apparemment homogène qui nous entoure entraînerait quelques perturbations. Deux idées se font jour dans l'esprit en éveil, quoique drogué par les nuages qui sillonnent l'astre, de ceux qui évoluent là-bas sur le sable et la neige en un ballet dont l'ordre leur échappe : *l'hétérogénéité de l'espace, l'hétérogénéité du centre perceptif* lui-même. Agressés par la couleur, ils se réfugient dans le vaisseau spatial et tout retournerait peut-être à la règle, si n'apparaissait sur l'écran de la cabine un signe ignoré du code des communications. Le livre s'achève sur un grand point d'interrogation. » (C. O., « Vingt ans après », dans *Nouveau Roman : hier, aujourd'hui*, *II. Pratiques*, UGE, coll. « 10/18 », p. 210.)

Enigma, roman, Gallimard, 1973, 212 p.

« *Enigma I - Iota* a été écrit, lui aussi, pour essayer de combler un vide : la vaste zone blanche qui sépare le point d'interrogation d'*Epsilon* de la première majuscule d'*Enigma*. La fiction repasse par les coordonnées du *Maintien de l'ordre*, mais là aussi, nous sommes dans le domaine référentiel de la science-fiction. C'est l'histoire d'une cure. Considérée comme guérie à la dernière page du livre, l'instance patiente se verra octroyer un congé exceptionnel de prendre sur Terre dans une ville sainte du Grand Sud, à l'ombre des minarets. » (C. O., « Vingt ans après », dans *Nouveau Roman : hier, aujourd'hui*, *II. Pratiques*, UGE, coll. « 10/18 », p. 210.)

Our, ou vingt ans après, roman, Gallimard, 1974, 188 p.

« J'ai essayé d'inclure dans un récit unique quantité de formes littéraires appartenant à toute l'histoire du récit, de Gilgamesh à Henri Michaux, et au-delà comme dirait Derrida. L'action se passe simultanément dans l'Inde moderne et dans la Chaldée antique. Les personnages portent des noms babyloniens et l'intrigue met en jeu une secte islamique d'aujourd'hui, qui s'est proposé de récrire tous les grands textes de l'Occident ethnocentrique, par conséquent tous les grands textes colonialistes à quelque genre qu'ils appartiennent : jurisprudence, économie, politique, poésie... » (C. O., « Les jeux de Claude Ollier », propos recueillis par B. Noël dans *Le Magazine littéraire*, décembre 1984, p. 98.)

Fuzzy sets, roman, UGE, coll. « 10/18 », 1975, 190 p.

« Dans le livre suivant, le héros qui a survécu à toutes les aventures se trouve dans un aéronef satellite, piloté par des astronautes auxquels il apprend le secret de la fabrication des textes. Mais il se rend compte que ces astronautes sont en avance sur lui de plusieurs siècles, et qu'ils le considèrent comme un personnage historique, un intéressant fossile. Au terme, il est ramené dans son lieu de naissance et placé dans un musée. » (C. O., « Les jeux de Claude Ollier », *ibid.*, p. 98.)

Marrakch Medine, Flammarion, 1979, 204 p.

« A mesure que j'avance, apparaissent des directions fictionnelles, que j'organise. Alors j'invente des énigmes destinées à satisfaire ma nostalgie des contes pour enfants. A partir de Marrakech, je voulais sonder le mystère lié à la passion que m'inspire cette ville, que sa topographie exprime et met en scène. » (C. O., entretien avec Alain Clerval dans *La Quinzaine littéraire*, 15 février 1980.)

Nébules, Flammarion, 1981, 194 p.

« *Navettes* et *Nébules* rassemblent des textes écrits durant la rédaction du "Jeu d'enfant", écrits sur commande pour des revues, des réunions d'écrivains ou bien spontanément pour raconter un rêve, une promenade. Ces ensembles sont disparates, mais ils procèdent de la même réflexion sur la matière de l'écrit, parfois déguisée. » (C. O., « Les jeux de Claude Ollier », *ibid.*, p. 99.)

Mon double à Malacca, Flammarion, 1982, 238 p.

« Un jour, sur une plage, j'ai eu une impression confondante : l'impression que j'étais attendu là par quelqu'un qui avait atteint mon âge ici pendant que je l'atteignais en Europe, quelqu'un qui m'attendait, qui m'observait, comme si j'étais né doublé. J'allais connaître l'autre versant de mon histoire, ça me faisait peur. » (C. O., « Les jeux de Claude Ollier », *ibid.*, p. 99.)

***Cahiers d'écolier*, Flammarion, 1984, 278 p.**

Journal 1950-1960.

« Il y a eu d'abord des rêves notés, quelques faits, puis des idées sur le roman, des débuts de récits, des scènes vues dans la rue, des anecdotes de voyage, tout cela sans suite. C'est devenu plus suivi quand j'ai quitté la France pour le Maroc. » (C. O., « Les jeux de Claude Ollier », *ibid.*, p. 99.)

« Puisque je suis dans les plans, je note là quelques idées qui me sont venues en novembre et décembre à mesure des longs cheminements pédestres dans la ville et qui peuvent concerner l'éventualité d'un troisième livre :

« Utiliser la ville comme cadre général en répartissant les événements dans les trois dimensions.

« Situer dans la ville plusieurs personnages, chacun étant une représentation, à plusieurs moments de son existence, d'un seul et unique personnage central.

« Organiser la répartition et la localisation des événements comme dans une partie d'échecs. Choisir soixante-quatre blocs dans Midtown et ne décrire que certains coups. Un "pat" final. » (C. O., à la date du 28 décembre 1959, p. 176.)

***Fables sous rêve*, Flammarion, 1985, 286 p.**

Journal 1950-1960.

« États par lesquels est passée la conception d'*Enigma*, si mes souvenirs sont exacts :

« 1. Le tout premier état donnait le héros comme chargé, après la réussite de sa mission sur Epsilon, de débrouiller le mystère d'un nuage particulier sur Epsilon toujours.

« 2. Cette idée a vite évolué vers celle, toujours sur Epsilon, d'inventorier la "suite" des "finales" des scènes-nuages, d'en déceler si possible le terme. Autrement dit, on lançait le héros à la poursuite de la forme féminine esquissée dans les cinq scènes-nuages.

« 3. A ce stade, le projet initial s'est rencontré avec celui de faire un livre sur "Clara" (l'apparition finale dans la dernière scène-nuage la concerne déjà).

« 4. Puis "Clara" est devenue le centre de l'énigme, d'où le titre. Et plus tard, l'idée a surgi que le héros, explorant le nuage, ou sa "série" interrompue, revenait prendre quelque repos sur Terre, et là rencontrait le véritable objet de sa quête. L'idée du livre est donc devenue celle d'une *incarnation*, le héros ne recevant sur la planète que des messages imparfaits, trop généraux, qui vont être soudain dotés sur Terre (dans une période de *vacances*) de toutes les précisions désirables.

« 5. Plus tard, il fut décidé que la planète ne serait pas Epsilon, mais une autre ultérieurement explorée. Iota, Omicron, ou Sigma (Iota provisoirement retenu). » (C. O., à la date du 1er août 1968, p. 240-241.)

Une histoire illisible, **Flammarion, 1986, 260 p.**

Déconnection, **Flammarion, 1988, 194 p.**

« Oui, la première histoire est un essai de récupération historique d'événements vécus. Elle ne laisse aucune place à l'imaginaire. Ce n'est donc pas un conte. Il s'agissait pour moi de retrouver des souvenirs d'une époque sur laquelle je n'avais plus aucune documentation personnelle et, par ailleurs, d'essayer de brosser un tableau de cette terrible perversion culturelle qu'avait été le nazisme. La seconde histoire en revanche, qui se passe dans un futur proche, est faite uniquement d'épisodes inventés. C'est un récit d'anticipation (...). Bien que les deux situations décrites soient totalement différentes dans leurs composantes, il m'a semblé intéressant et urgent, surtout pour moi, de rapprocher ces deux périodes de déclin culturel qui ont, malgré tout, des points communs (...). » (C. O., « Agression, déconnection », entretien avec F. Poirié dans *Art Press*, octobre 1988, p. 49.)

« L'imitation, l'imitation des autres, est une étape indispensable pour quiconque commence, qu'il soit cinéaste, peintre, musicien ou écrivain. Il n'y a rien de tel que de mimer au plus près quelqu'un d'autre pour faire surgir ses différences personnelles. L'invention n'est jamais pure, elle se fait toujours par démarquage de choses préexistantes. C'est un immense palimpseste. Les feuilles ne sont jamais vierges, elles sont déjà écrites. Et vous construisez votre texte personnel à partir d'autres textes. J'ai imité un peu tout le monde. J'ai imité Jules Verne, Stevenson, Conrad, Poe, mais aussi Hoffmann, Kafka, Borges, Michaux, Leiris, tous les écrivains que j'aime bien, en somme. Je crois que tout le monde fait comme ça, mais certains ne veulent pas reconnaître qu'ils imitent, et certains ne s'en aperçoivent même pas, ce qui est plus grave. » (C. O., « Agression, déconnection », entretien avec F. Poirié dans *Art Press*, octobre 1988, p. 49.)

***Les Liens d'espace*, Flammarion, 1989, 298 p.**

Journal 1970-1980.

« Pour revenir à mon tableau des fonctions dressé à Cerisy voici huit ans, il conviendrait de préciser ceci : la fonction ''fictionnelle'' ne s'impose pas, coiffant superbement les autres et unifiant sans problème le texte en train de s'écrire. Ce qui se passe d'intéressant, de ''créatif'', c'est la tension, la lutte continuelle entre fonction fictionnelle et fonctions expressive et représentative. Autrement dit, expression et représentation sont conditions de la permanence d'une turbulence, d'un tiraillement, sans lesquels la progression du texte resterait peut-être très confortable, sans passion. Le pire serait d'''énerver'' la sensation, la perception, le sentiment. » (C. O., à la date du 5 avril 1979, p. 271.)

4.4. Robert Pinget

Entre Fantoine et Agapa, textes brefs, Éditions de Minuit, 1951, 112 p.

« Le monde d'*Entre Fantoine et Agapa*, ainsi que pourrait s'appeler le mien d'après le titre de mon premier livre, est de par *son essence* un monde qui *n'existe pas encore*, que je n'ai jamais vu et que je ne verrai jamais. Vouloir le fixer par l'image serait lui ôter toute réalité, sitôt fixé il sombrerait dans le néant (...). Je ne sais où se trouve Fantoine, ni Sirancy, ni Douves, ni Agapa. Ces villes flottent dans mon esprit au gré des mots qui les amènent dans le texte. Je puis dans un livre ou dans un autre inventer la topographie de Sirancy au fur et à mesure qu'avance ma plume, je puis pour l'honneur de ne pas introduire de contradictions faire un plan momentané de l'ensemble des rues, cela n'empêche qu'aucune image ne se forme dans mes yeux qui la rejetteraient aussitôt comme *une chose morte*. » (R. P., « Pseudo-principes d'esthétique », dans *Nouveau Roman : hier, aujourd'hui, II. Pratiques*, UGE, coll. « 10/18 », p. 321.)

Mahu ou le Matériau, roman, Éditions de Minuit, 1952, 216 p.

Le Renard et la Boussole (Gallimard, 1953), Éditions de Minuit, 1971, 248 p.

Graal Filibuste, roman, Éditions de Minuit, 1956, 240 p.

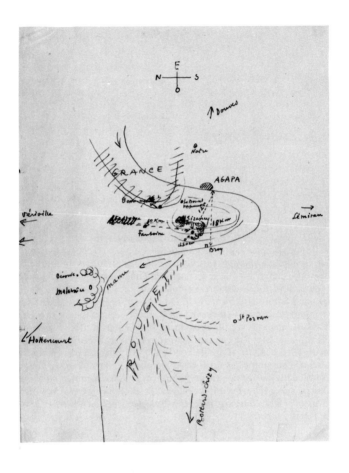

Topographie provisoire : on reconnaîtra Fantoine, Agapa, Sirancy, etc.

Baga, **version romanesque, Éditions de Minuit, 1958, 176 p.**

Tirée d'*Architruc*.

Le Fiston, **roman, Éditions de Minuit, 1959, 180 p.**

Lettre morte **suivi de** *La Manivelle*, **théâtre, Éditions de Minuit, 1960, 160 p.**

Lettre morte a été jouée pour la première fois au Théâtre Réca-mier (alors salle d'essai du T.N.P.) en 1960. *La Manivelle*, pièce radiophonique commandée par la BBC, a été diffusée en 1960 dans la traduction de Samuel Beckett *(The Old Tune)*.

Clope au dossier, **roman, Éditions de Minuit, 1961, 136 p.**

Ici ou ailleurs, **suivi d'***Architruc* **et de** *L'Hypothèse*, **théâtre, Édi-tions de Minuit, 1961, 192 p.**

Ici ou ailleurs, créée à Zurich en 1961 au Grand Théâtre dans la traduction allemande de Gerda Scheffel. *Architruc*, créée au Théâ-tre de la comédie de Paris en 1962. *L'Hypothèse*, créée à la Bien-nale de Paris en 1965.

L'Inquisitoire, **roman, Éditions de Minuit, 1962, 448 p.**

« Lorsque j'ai décidé d'écrire *L'Inquisitoire*, je n'avais rien à dire, je ne ressentais qu'un besoin de m'expliquer très longuement. Je me suis mis au travail et j'ai écrit la phrase *Oui ou non répondez* qui s'adressait à moi seul et signifiait *Accouchez*. Et c'est la réponse à cette question abrupte qui a déclenché le ton et toute la suite. (…) Ce ton devait sortir de mille autres lorsque je me suis mis en train. Il m'a fallu le voir transcrit pour l'accepter. » (R. P., « Pseudo-principes d'esthétique », dans *Nouveau Roman : hier, aujourd'hui*, *II. Pratiques*, UGE, coll. « 10/18 », p. 315.)

« L'interrogé de *L'Inquisitoire*, par exemple, ne s'élabore en tant que personne que par son discours. Telle affirmation engendre quel-ques pages plus loin telle négation, telle tournure de phrase en amè-nera une autre qui l'explicitera ou la contestera, faisant apparaître à la fin du livre seulement, c'est-à-dire *en fin d'audition*, ce qu'on peut bien appeler un caractère mais dont je n'ai jamais su moi-même s'il était plus retors que naïf, plus tranchant que louvoyant, bref

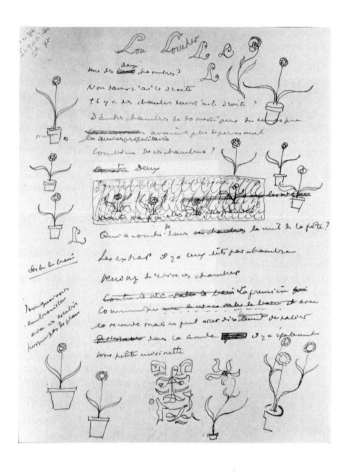

Une page de travail : le premier jet de L'Inquisitoire.

dont je laisse au lecteur le soin de le reconstituer, pour peu qu'il en éprouve le besoin, besoin que je n'éprouve pas moi-même, à partir de son expression. » (*Id.*, p. 321.)

Autour de Mortin, roman, Éditions de Minuit, 1965, 184 p.

Dialogues radiophoniques commandés par la radio de Stuttgart et créés sur cette chaîne dans la traduction de Gerda Scheffel.

Quelqu'un, roman, Éditions de Minuit, 1965, 260 p.

« Il me semble que lorsqu'on est attiré par un écrivain, ce n'est pas sa biographie qui intéresse. Je m'étonne toujours que l'on aborde un écrivain avec des questions qui n'ont rien à voir, ou peu à voir avec son œuvre. Je n'ai pas de vie autre que celle d'écrire. Mon existence est dans mes livres. (...) La vie de l'écrivain transparaît à travers ce qu'il écrit. Si vous lisez *Quelqu'un*, vous saurez qui je suis. Le reste ne peut concerner qu'une curiosité malsaine et tout à fait infondée. » (R. P., « Je n'ai pas de vie autre que celle d'écrire », entretien avec L.-A. Zbinden, *Gazette de Lausanne*, 4 décembre 1965.)

Le Libera, roman, Éditions de Minuit, 1968, 224 p.

On pourra songer notamment au *Libera* à propos de ces remarques générales de Pinget : « Un amalgame d'histoires qui s'enchevêtrent et dont à première vue ressort une manière de *vérité moyenne* que le lecteur localise mal mais qui ne le déroute pas trop car elle s'énonce en termes simples et selon (des) thèmes familiers. L'esprit s'accroche involontairement à quelques mots clefs tels forêt, maison, larcin, meurtre, viol, fuite, promenade, et caetera, ne se doutant pas que je le mène ailleurs par le truchement de cette simplicité qui normalement conduit à reconnaître des situations déjà connues de lui. Ce lecteur peut donc très bien "marcher", pourvu qu'il ne se montre pas trop exigeant sur la vraisemblance. » (R. P., « Pseudo-principes d'esthétique », dans *Nouveau Roman : hier, aujourd'hui, II. Pratiques*, UGE, coll. « 10/18 », p. 316.)

Passacaille, roman, Éditions de Minuit, 1969, 136 p.

« C'est peut-être (...) cette absence de je dans *Passacaille*. Il se trouve que c'est la première fois que je l'élimine : je l'ai éliminé volontairement, sauf à un moment, ainsi que tous les noms. » (R. P., Intervention dans *Nouveau Roman : hier, aujourd'hui,* II. Pratiques, UGE, coll. « 10/18 », p. 335.)

« Dès le début de *Passacaille*, qui est très concerté, j'ai employé volontairement à chaque paragraphe un temps différent pour brouiller dès le départ la piste "policière", pour l'annuler. Cela m'a paru intéressant, amusant. » (*Id.*, p. 336.)

« Je sais que ça se complique toujours davantage, que ce procédé combinatoire est très évident dans *Passacaille*. » (*Id.*, p. 350.)

Fable, récit, Éditions de Minuit, 1971, 118 p.

Identité, suivi de *Abel et Bela*, théâtre, Éditions de Minuit, 1971, 126 p.

Paralchimie, suivi de *Nuit*, d'*Architruc* et de *L'Hypothèse*, théâtre, Éditions de Minuit, 1973, 212 p.

Cette voix, roman, Éditions de Minuit, 1975, 230 p.

« L'anamnèse, littéralement *remontée dans le souvenir*, est dans le langage psychanalytique *le fait de se rappeler le passé au cours d'un interrogatoire médical.*

« Elle se veut, en l'occurrence, triple :

« 1) celle du narrateur ;

« 2) celle du scripteur (relativement au travail accompli jusqu'à ce jour) ;

« 3) formelle (relativement à la structure du livre qui se recompose ou décompose à partir de la moitié *en remontant*, c'est-à-dire que les thèmes sont repris dans le sens inverse de leur formulation).

La tentative s'avère finalement trop difficile mais qu'importe puisqu'il s'agissait de capter avant tout *de la voix*. » (R. P., Prière d'insérer sur feuille volante jointe au livre.)

L'Apocryphe, roman, Éditions de Minuit, 1980, 178 p.

« *L'Apocryphe* était un énorme livre dont j'ai éliminé une très grande partie et j'ai noté à mesure le travail qui se faisait (...). Je m'intéresse pour l'instant à la radio. Mon roman *L'Apocryphe* était peut-être le dernier de ce genre. Je continuerai à écrire, bien sûr, mais... » (R. P., « L'homme qui écrit avec ses oreilles », entretien avec D. Éribon, dans *Libération*, 7 avril 1982.)

Monsieur Songe, **Éditions de Minuit, 1982, 128 p.**

« Pendant une vingtaine d'années je me suis délassé de mon travail en écrivant les histoires de monsieur Songe. Les voici réunies et mises au point en un volume qui est, je le répète, un divertissement. » (R. P., Avant-propos, p. 7.)

Le Harnais, **Éditions de Minuit, 1984, 58 p.**

« Il juge indécente la curiosité qu'ont certains érudits des ratures et retouches dans le manuscrit d'un auteur. Croient-ils pouvoir en tirer une leçon ou en faire profiter le public ? Pour apprendre à écrire chacun a sa méthode et si c'est en se trompant d'abord qu'on se corrige, chacun a droit à sa façon de se tromper. Seul compte le résultat, qui doit être inimitable. » (P. 21.)

Charrue, **Éditions de Minuit, 1985, 80 p.**

« L'art se fout des idées. En littérature il joue avec les mots, avec leur ordonnance et s'appelle alors poésie. Le roman de nos jours ne peut y atteindre qu'en se coupant du romanesque. Mais que de discipline, de métier, et d'endurance cela implique.

« Et aussi.

« Le souci de l'effet est une faiblesse en art. On n'y doit tendre qu'à une vérité… sans trop savoir où elle se cache car elle vous oblige à mentir. Épuisante recherche.

« Et aussi.

« Progrès scientifique, progrès technique, progrès hygiénique, génétique, et caetera. Or l'art lui ne progresse pas, n'a jamais progressé, ne progressera jamais et pourtant propose depuis que le monde est monde des œuvres aussi diverses que parfaites.

« Et aussi.

« Il faut beaucoup de technique pour savoir s'en débarrasser. Vieux poncif. » (P. 32-33.)

Un testament bizarre, **Éditions de Minuit, 1985, 108 p.**

L'Ennemi, **roman, Éditions de Minuit, 1987, 200 p.**

« Le livre est morcelé, continuellement repris d'une voix par une autre. C'est ce qui rend sa lecture un peu délicate. D'ailleurs, j'ai numéroté les paragraphes pour en simplifier la lecture. Jusqu'à maintenant, je ne le faisais pas. Dans mes précédents romans, les voies étaient toutes mélangées. (…) C'est une chose qui date de la créa-

tion du Nouveau Roman : on disait que les écrivains de ce groupe
étaient difficiles. Cela a jeté le discrédit sur certains d'entre nous
qui n'étaient, en définitive, pas difficiles à lire. C'est le cas de
L'Ennemi. On ne peut pas comprendre la pensée du narrateur, mais
la lecture en est facile. » (« L'ennemi au peigne fin », entretien avec
A. Rollin, *Lire*, septembre 1987, p. 95.)

« Lorsqu'on écrit, on ne pense pas du tout au lecteur. Il n'est pas
du tout dans mon intention de fourvoyer le lecteur. Je suis mon tem-
pérament. J'écris pour moi. Je suis reconnaissant au lecteur quand
il apprécie mon travail. Je trouve dans mon esprit ces failles conti-
nuelles : la détestation de la réalité et la fuite dans le rêve et l'imaginaire en essayant de faire parler le plus possible l'inconscient. »
(« Entretien avec Robert Pinget, propos recueillis par Ph. Salord »,
Le Français dans le Monde, novembre/décembre 1987, p. 16.)

4.5. Jean Ricardou

L'Observatoire de Cannes, roman, Éditions de Minuit, 1961, 208 p.

« Je n'hésiterai pas à les accompagner d'un exemple élémentaire tiré de mon premier roman : *L'Observatoire de Cannes*.

• *Stade 1 :* Supposons donc un livre tel qu'un nombre suffisant de transitions s'accomplissent selon la charnière analogique fondée sur la ressemblance d :

a b c d + d e f g

de façon qu'au cours de la lecture ce mode de transition devienne automatique.

• *Stade 2 :* Bientôt, lorsque deux fragments, pour éloignés qu'ils soient, se présentent ainsi :

a b c d + ... + h d i j

le lecteur saura actualiser ce rapport virtuel, rapprocher les deux fragments, et utilisant d comme un *sas*, il pourra passer de l'un à l'autre. Nous rendons ce phénomène par une mise en *facteur commun* :

d (abc + hij).

Voici donc deux passages, séparés par onze pages, et en lesquels on a inscrit en italique les communs facteurs qui autorisent le rapprochement dans l'épaisseur du livre :

''A quinze centimètres de la base du cou, la zone sombre du buste est interrompue par la pièce supérieure du maillot de bain — découpée dans un tissu à petits carreaux verts et blancs, bordé d'une fine dentelle blanche — dont le profil se divise en deux courbes. La première est ascendante, *concave à peine jusqu'au sommet* du sein. La seconde, *convexe*, descend jusqu'au thorax bronzé'' (p. 30).

et :

"A la moindre tempête — et la tempête, ici, le vent soulevant la mer en hautes lames, *concaves*, *à peine*, du côté du rivage, *jusqu'à* l'aigrette d'écume du *sommet*, *convexes* du côté du large, surgit en quelques minutes, en quelques secondes — la première plage est emportée, puis les rochers" (p. 41).

• *Stade 3 :* Lorsque cette opération s'accomplit aisément, la sensibilité de la lecture peut s'affiner jusqu'à découvrir un nouveau phénomène. Au-delà de l'analogie "préfabriquée" qui établit la correspondance d'un sein et d'une vague, il y a un autre rapprochement : celui des deux ensembles qui respectivement les contiennent. A mesure donc que s'accroît la différence entre le détail où joue la micro-analogie, et l'ensemble qui le comprend, *l'analogique motivation* du rapport des deux ensembles décroît. A la limite, la relation qui unit les deux ensembles est aussi aléatoire que celle obtenue par la pliure d'un *cadavre exquis* : ici, un corps de femme, une tempête. Un semblable texte fonctionne donc comme *une machine à établir d'implicites métaphores aléatoires à orientation interne.*

• *Stade 4 :* Parfois ce rapport métaphorique est de nature à être indiqué par d'éventuelles métaphores stylistiques : celles, ici, qui pourraient assembler un corps et une tempête. Le plus souvent cette relation ne pourra pas être ainsi désignée : c'est qu'un rapport trop délié aura été obtenu. Le dispositif aura permis de dépasser la *grossière* métaphore courante, et d'atteindre ce qu'il faudrait appeler, "au-delà de toute expression", *la perception métaphorique*, son étonnante finesse, sa mobilité.

• *Stade 5 :* Notons-le pour finir : cette machine à métaphores peut se retourner en une *machine à inspiration*. Le rapprochement établi par l'implicite métaphore aléatoire à orientation interne se *matérialisera* en une spatiale contiguïté : c'est ainsi qu'a été notamment obtenu, dans ce livre, l'album de photographies intitulé *Un corps dans la tempête.* » (J. R., « Inquiète métaphore », dans *Problèmes du Nouveau Roman*, Éditions du Seuil, p. 156-157.)

La Prise de Constantinople, roman, **Éditions de Minuit, 1965, 276 p.**

« Inversement on peut admettre une citation si transformée par le texte qui l'accueille qu'elle finisse par intensément lui ressembler. On trouve des antipastiches de ce genre dans *La Prise de Constantinople.*

« Mais le fragment sait non moins établir une loi ordinale. Comme ce phénomène est souvent imperceptible, j'en signalerai une très élémentaire occurrence dans ce même roman. Partie du mot *Rien*, cette fiction s'élargit et se termine à hauteur de constellation, tandis qu'insensiblement se fait jour l'idée que rien n'aura eu lieu que le livre. Le modèle ordinal est évidemment cette proposition du *Coup de dés* : « Rien n'aura eu lieu que le lieu excepté peut-être une constellation. (…)

« Il est également possible, certes, de faire subir à tout ou partie du signifiant les diverses permutations capables d'offrir, après lecture, de nouvelles directives à la fiction. Par une obéissance ironique au flaubertien désir du livre sur rien, *La Prise de Constantinople* tire maints composants de ces opérations sur le vocable initial. Rien : nier, rein, ire, renie (reni), nerf (ner), rang (ren), dans (en), rire (ri), erre (r), haine (n), etc. » (J. R., « La bataille de la phrase », dans *Pour une théorie du Nouveau Roman*, Éditions du Seuil, p. 123.)

« Ainsi s'accroîtra peu à peu la fiction à la naissance de laquelle nous venons d'assister. Qu'elle se développe notamment, remarquons-le enfin, dans cette direction qu'on appelle érotique ne sera guère pour surprendre ceux qui n'ont pas été sans noter que les deux lettres étroitement associées dans l'élaboration du titre étaient le I ou lettre phallique, le O ou lettre vulvaire. » (J. R., « Naissance d'une fiction », dans *Nouveau Roman : hier, aujourd'hui, II. Pratiques*, UGE, coll. « 10/18 », p. 392.)

Problèmes du Nouveau Roman, essais, **Éditions du Seuil, 1967, 208 p.**

PROLOGUES
Naissance d'une déesse : à titre d'exemple : naissance d'Aphrodite à partir d'un calembour (p. 11-15). — *Une question nommée littérature :* la littérature a pour fonction de réduire le second analphabétisme (p. 16-20).

I. L'ÉCRITURE ET SES ROMANS
Réalités variables, variantes réelles : à propos de Borges et de Robbe-Grillet (p. 23-43). — *Un ordre dans la débâcle :* décomposition et recomposition dans *La Route des Flandres* de Claude Simon (p. 44-45). — *Les Allées de l'écriture :* création scripturale et mécanismes régulateurs généraux, dans *Le Parc* de Philippe Sollers (p. 56-58). — *Plume et Caméra :* spécificité respective du roman et du cinéma (p. 69-79). — *Page, film, récit :* la fiction dépend de l'agencement de la narration, donc de la nature des signes (p. 80-88).

Les Lieux-dits, roman, Gallimard, 1969, 160 p.

« Quant à l'activité ordinale du vocable, elle se lie par exemple à un travail d'acrostiche. Les huit chapitres des *Lieux-dits* obéissent à l'ordre alphabétique mais une plus attentive lecture révèle, de ce classement, qu'il est la conséquence d'un acrostiche diagonal : Bannière, bEaufort, beLarbre, belCroix, cendRier, chaumOnt, hautboIs, monteauX. » (J. R., « La bataille de la phrase », dans *Pour une théorie du Nouveau Roman*, Éditions du Seuil, p. 124.)

« Il s'agit bien d'empêcher le titre de parler trop haut et de cacher le texte. Dans cette perspective, il me semble qu'on aurait pu poser les problèmes du titre double. Premièrement celui du sous-titre qui a pour fonction, dans certains cas, de mettre en cause le titre. Je pense par exemple à mon roman : *Les Lieux-dits* dont le sous-titre est *Petit Guide d'un voyage dans le livre.* » (J. R., Intervention, dans *Nouveau Roman : hier, aujourd'hui, I. Problèmes généraux*, UGE, coll. « 10/18 », p. 307.)

« Le feu inscrit au niveau de la fiction alors que la narration est elle-même disloquée et comme brûlée à mesure, se rencontre aussi bien dans *Projet pour une révolution à New York* que dans *Nombres* de Sollers ou dans *Les Lieux-dits.* » (J. R., Intervention, dans *Nouveau Roman : hier, aujourd'hui, II. Pratiques*, UGE, coll. « 10/18 », p. 409.)

Révolutions minuscules, nouvelles (Gallimard, 1971), Les impressions nouvelles (distribution Distique), 1988, 204 p.

(N.B. : La réédition comporte un inédit « Révélations minuscules, en guise de préface, à la gloire de Jean Paulhan », p. 11-108.)

« Être pénétré de la responsabilité référentielle, c'est refuser la représentation qui, en son rapport analogique, accrédite tout simplement une certaine idée préalable qu'on se fait du monde ; c'est pratiquer la production qui, en disposant un rapport différentiel, conteste cette idée préalable qu'on se faisait du monde. La pratique de citation dont parle Raymond Jean à juste titre à la fin de sa communication appartient tout à fait à cette procédure. Il a noté celles que j'ai faites dans *Révolutions minuscules*, il y a dans *La Prise de Constantinople*, plus discrètement, des citations transformées d'historiens.

« L'exemple qu'a choisi Raymond Jean est d'ailleurs significatif : *Sous les pavés, la plage.* Par cette greffe, c'est une transformation réciproque qui s'établit entre le texte et la citation. L'insertion de la phrase dans le texte astreint le texte à se transformer en présentant une autre phrase qui en dépend : *Sous les palais, la page*, obtenue par une analogie des signifiants provoquant des signifiés différents. Cette seconde phrase, quelque peu sibylline, c'est la première, dans cette rencontre intertextuelle, qui permet de commencer à la lire. Sans mettre ici en jeu les divers aspects de la phrase citée, et par exemple sa dimension rousseauiste pratiquant l'opposition dévalorisante de la société (les pavés) à la nature (la plage) ou encore de l'ordre et du travail de la ville à la liberté et au plaisir des vacances, signalons ce qu'on pourrait nommer l'illusion de l'édifice : l'édifice se construit en cachant le sol sur lequel il s'appuie. Le contact des deux phrases fait alors apparaître le rapport de dissimulation des palais à la plage. Ce qui, pour être intelligible, dans un premier temps, suggère que les palais soient ce que sont les édifices que le texte dispose : fiction. La phrase se lit alors : *Sous la fiction, la matérialité du texte.* La dynamique de l'arrachage des pavés montrant le sol suscite la dynamique de l'arrachage de la fiction montrant le texte. Inversement, le retour de la seconde phrase sur la première fait lire : *Sous l'apparence d'une société, le sol d'un certain langage* qu'il importe de mettre à jour. Et ainsi de suite. Loin du rapport analogique de représentation, l'on assiste à la

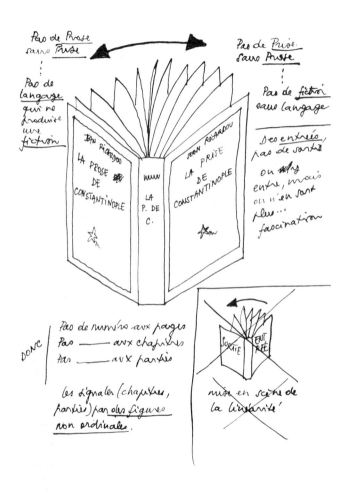

Recherches pour une subversion de l'objet livre

transformation réciproque du texte et de la citation. » (J. R., Intervention, dans *Nouveau Roman : hier, aujourd'hui, I. Problèmes généraux*, UGE, coll. « 10/18 », p. 374-375.)

Pour une théorie du Nouveau Roman, essais, Éditions du Seuil, 1971, 270 p.

1. *La Littérature comme critique :* production et critique, notamment à propos de Sartre, Robbe-Grillet (p. 9-32) — **2.** *De natura fictionis :* les paradoxes de la description à partir d'une phrase de Flaubert (p. 33-38) — **3.** *L'Or du scarabée :* lecture et écriture dans *Le Scarabée d'or* de Poe (p. 39-58) — **4.** *L'Impossible Monsieur Texte :* contradictions et modernité de Valéry (p. 59-90) — **5.** *L'Activité roussellienne :* problèmes de la production chez Roussel (p. 91-117) — **6.** *La Bataille de la phrase :* génération et transitions dans *La Bataille de Pharsale*, de Claude Simon (p. 118-158) — **7.** *L'Énigme dérivée :* typologie des relations intertextuelles et fonctionnement général des cinq premières fictions d'Ollier (p. 159-199) — **8.** *L'Essence et les Sens :* biographie et production textuelle à propos de *La Bataille de Pharsale* (p. 200-210) — **9.** *La Fiction flamboyante :* organisation et génération de la fiction dans *Projet pour une révolution à New York*, de Robbe-Grillet (p. 211-233) — **10.** *Nouveau Roman, Tel Quel :* rapports des deux mouvements à partir des livres de Pinget et Robbe-Grillet, de Jean-Louis Baudry et Philippe Sollers (p. 234-265).

Nouveaux Problèmes du Roman, essais, Éditions du Seuil, 1978, 368 p.

Ouverture : le mouvement dit « Nouveau Roman », la pratique et la théorie (p. 9-23) — **1.** *Le Texte en conflit :* problèmes de la belligérance du texte à partir de fragments de *Madame Bovary* (p. 24-88) — **2.** *La Métaphore d'un bout à l'autre :* problèmes de la métaphore productrice à partir d'*A la recherche du temps perdu* (p. 89-139) — **3.** *La Population des miroirs :* problèmes de la similitude à partir d'un texte(s) d'Alain Robbe-Grillet (p. 140-178) — **4.** *Le Dispositif osiriaque :* problèmes de la segmentation dans le mythe d'Osiris et dans *Les Corps conducteurs* et *Triptyque* de Claude Simon (p. 179-243) — **5.** *La Fiction à mesure :* problèmes de l'élaboration textuelle sur l'exemple de *La Prise de Constantinople* (p. 244-351).

***Le Théâtre des métamorphoses*, mixte, Éditions du Seuil, 1982, 300 p.**

« Ces deux activités disjointes (fiction et théorie), elles se réunissaient certes dans mon œuvre, mais à demi, en quelque sorte, puisqu'en des livres séparés : romans d'un côté, essais de l'autre. Avec *Le Théâtre des métamorphoses*, voilà qu'elles se combinent dans un même livre. Je dis bien "combine" et non pas "assemble", car ce livre, ce n'est pas un "mélange" (un fourre-tout désinvolte), c'est un "mixte" (une diversité calculée). Bref, c'est un livre divisé : une *fiction*, qui s'efforce de déployer ses sortilèges (avec ses suspenses, avec ses strip-teases), une *réflexion*, qui tente de comprendre des procédés (avec ses analyses, avec ses concepts). (...)

« Évidemment, il y a toutes sortes de façons pour permettre au lecteur de garder les pieds sur terre, ou, si l'on préfère, les yeux sur les lettres. Parmi celles que requiert *Le Théâtre des métamorphoses*, j'aimerais en souligner deux. L'une, (...) c'est de *rendre inclassable le texte offert à la lecture*. En effet, ne pouvant s'installer (s'endormir...) dans tel ou tel type de lecture, il est conduit à perpétuelle vigilance. (...) L'autre manière, c'est, *en les élargissant, de recourir aux procédés de la... poésie traditionnelle*. Car, on ne le redira jamais assez, tel poème à forme réglée, s'il lui advient de susciter tel sentiment ou telle idée, c'est toujours, par le jeu de ses rythmes et de ses rimes, en rappelant le lecteur à l'ordre des... mots. *Le théâtre des métamorphoses* superpose au moins ces deux dispositifs : un travail très approfondi, non seulement sur les parallélismes de toute espèce (du rythme à la rime), mais aussi l'instabilité du genre (le fictionnel et le théorique). » (J. R., « Lire ce qui change », entretien avec Bernard Magné, dans *Affaires de style*, n° 3, juin 1983, p. 22-24.)

***La Cathédrale de Sens*, nouvelles, Les impressions nouvelles (distribution Distique), 1988, 192 p.**

« Ce que j'ai opéré, dans *La Cathédrale de Sens*, c'est (...) l'inhibition de l'écrivain face au commentateur. Borges, dans *Le Jardin aux sentiers qui bifurquent*, commente un livre qu'il n'écrit pas. Dans *La Cathédrale*, ce sont les fictions qui, de temps à autre, en viennent à se commenter elles-mêmes. Ce que je fais paraître, en passant à cet acte, c'est ce qui est en général prohibé chez l'écrivain : *son désir de se commenter sur place* (...). Il s'agit, non pas de remplacer par moment la fiction par de l'analyse, mais d'enrichir, en les inquiétant et les relançant, la densité et le rythme de la fiction. Le lecteur naïf ? On l'attire par de l'intrigue, et on l'inquiète par de légers éclaircissements. Le lecteur retors ? On le retient par certaines trames, et on l'instruit en lui faisant comprendre qu'il y a un peu davantage... » (J. R., entretien avec Marc Avelot, dans *Le Mensuel littéraire et poétique*, n° 168, avril 1988, p. 8.)

Une maladie chronique, théorie, Les impressions nouvelles (distribution Distique), 1989, 86 p.

« Quand il vise un effet de représentation, l'écrit court le péril d'une maladie deux fois chronique : non seulement elle refait surface sans cesse, au fil du temps, mais, de plus, c'est le temps même, à l'évidence, qui en constitue la trame. Il s'agit, déjà connu d'Homère dans son *Iliade*, et commentée ensuite, outre Vinci, notamment par Lessing dans son *Laocoon*, de l'embarras technique auquel se heurte, sitôt qu'elle devient soigneuse, la représentation écrite du synchrone. Ce problème, je l'ai travaillé à mon modeste tour maintes fois. Si je propose de l'examiner derechef, c'est avec un double souci : fournir un approfondissement (ce qui pourrait conduire à une théorisation moins sommaire) ; offrir une récapitulation (ce qui devrait permettre d'inscrire à commune enseigne fonctionnelle une bigarrure de mécanismes assez variés pour qu'il ressorte, sous cet angle, à quel point le récit romanesque ne traite jamais, à sa manière, diversement, qu'un phénomène général). » (J. R., Introduction, p. 9.)

4.6. Alain Robbe-Grillet

Les Gommes, roman, Éditions de Minuit, 1953, 264 p.

« Je ferai remarquer que *Les Gommes* ou *Le Voyeur* comportent l'un comme l'autre une trame, une *action*, des plus facilement discernables, riche par surcroît d'éléments considérés en général comme dramatiques. S'ils ont au début semblé désamorcés à certains lecteurs, n'est-ce pas simplement parce que le mouvement de l'écriture y est plus important que celui des passions et des crimes ? » (A. R.-G., « Sur quelques notions périmées », dans *Pour un Nouveau Roman*, Éditions de Minuit, p. 32.)

Le Voyeur, roman, Éditions de Minuit, 1955, 256 p.

« A l'époque où j'écrivais *Le Voyeur* (...), tandis que je m'acharnais à décrire avec précision le vol des mouettes et le mouvement des vagues, j'eus l'occasion de faire un bref voyage d'hiver sur la côte bretonne. En route je me disais : voici une bonne occasion d'observer les choses *sur le vif* et de me *rafraîchir la mémoire* (...). Mais dès les premiers oiseaux de mer aperçus, je compris mon erreur : d'une part les mouettes que je voyais à présent n'avaient que des rapports confus avec celles que j'étais en train de décrire dans mon livre, et d'autre part cela m'était bien égal. Les seules mouettes qui n'importaient, à ce moment-là, étaient celles qui se trouvaient dans ma tête. Probablement venaient-elles aussi, d'une façon ou d'une autre, du monde extérieur, et peut-être de Bretagne ; mais elles s'étaient transformées, devenant en même temps comme plus réelles, parce qu'elles étaient maintenant imaginaires. » (A. R.-G., « Du réalisme à la réalité », dans *Pour un Nouveau Roman*, Éditions de Minuit, p. 132-133.)

La Jalousie, roman, Éditions de Minuit, 1957, 224 p.

« Il était absurde de croire que dans le roman *La Jalousie* (…) existait un ordre des événements, clair et univoque, et qui n'était pas celui des phrases du livre, comme si je m'étais amusé à brouiller moi-même un calendrier préétabli, ainsi qu'on bat un jeu de cartes. Le récit était au contraire fait de telle façon que tout essai de reconstitution d'une chronologie extérieure aboutissait tôt ou tard à une série de contradictions, donc à une impasse. (…) Il n'existait pour moi aucun ordre possible en dehors de celui du livre. Celui-ci n'était pas une narration emmêlée d'une anecdote simple extérieure à lui, mais ici encore le déroulement même d'une histoire qui n'avait d'autre réalité que celle du récit, déroulement qui ne s'opérait nulle part ailleurs que dans la tête du narrateur invisible, c'est-à-dire de l'écrivain, et du lecteur. » (A. R.-G., « Temps et description dans le récit d'aujourd'hui », dans *Pour un Nouveau Roman*, Éditions de Minuit, p. 132-133.)

Dans le labyrinthe, roman, Éditions de Minuit, 1959, 224 p.

« Le premier narrateur est un écrivain, le second est un soldat ; mais que se passe-t-il ? Dans l'aventure pensée et vécue par le soldat est créé un médecin, et ce médecin devient à la fin le narrateur qui est dans la chambre et qui est rentré dans la chambre par le mouvement même de l'écriture du soldat. » (A. R.-G., Intervention, dans *Nouveau Roman : hier, aujourd'hui, I. Problèmes généraux*, UGE, coll. « 10/18 », p. 65.)

L'Année dernière à Marienbad, ciné-roman, Éditions de Minuit, 1961, 172 p.

« *L'Année dernière à Marienbad*, à cause de son titre, à cause aussi des œuvres dont Alain Resnais avait auparavant réalisé la mise en scène, a d'emblée été interprétée comme une de ces variations psychologiques sur l'amour perdu, l'oubli, le souvenir. Les questions que l'on se posait le plus volontiers étaient : cet homme et cette femme se sont-ils vraiment rencontrés, aimés, l'année dernière à Marienbad ? (…) Ces questions n'ont aucun sens. L'univers dans lequel se déroule tout le film est, de façon caractéristique, celui d'un présent perpétuel qui rend impossible tout recours à la mémoire. (…) Cet homme et cette femme commencent à exister seulement lorsqu'ils apparaissent sur l'écran pour la première fois ; auparavant ils ne sont rien ; et, une fois la projection terminée, ils ne sont plus rien de nouveau. (…) Il ne peut y avoir de réalité en dehors des images que l'on

Caméra

Le plus souvent tenue à la main (Caméflex ?), ou
alors sur simple pied.
Le moins possible de lumière artificielle.

Caméra très mobile. Pas de régularité dans les mouvements (c-à-d pas de recherche de régularité). Mouvements lents (regards qui tournent) et quelquefois, au contraire, petits mouvements rapides avec
des filés au début ou à la fin.

Cf. "Ils n'ont pas pris le bac"

Film Pop-Art, plein d'archétypes ou même de
stéréotypes : il y a tout à coup, comme par un
effet de collage, des morceaux joués avec une théâ-
tralité de bande dessinée allant jusqu'à l'extrava-
gance (cf. la mort du train dans "Bande à part")

Un film en train de s'inventer : les conversations
auteur-producteur dans le train (et ailleurs ?
on pourrait le revoir aussi bien dans des cafés à
Hambourg ou n'importe où) de jeu de H avec son
Julie (il fait jouer les futaines, il répète lui-même tout seul dans sa chambre, etc.)

La foule qui regarde le tournage.
Et aussi : contre-champ de caméra
Et le metteur en scène (son jeu, pas dans le train,
expliquant réellement le rôle à l'acteur)

Personnalité de la caméra. Le pas du caméraman
sensible dans le travelling. Le passant qui regarde vers l'objectif : c'est quelqu'un.

Ne pas craindre, pour les prises de vue dans la rue,
les voitures qui passent et bouchent l'écran ; elles seront utilisées telles qu'elles, ou bien seront des volets na-
turels

Réflexions sur la caméra.

voit, des paroles que l'on entend. Ainsi la durée de l'œuvre moderne n'est-elle en aucune manière un résumé, un condensé, d'une durée plus étendue et plus "réelle" qui serait celle de l'anecdote, de l'histoire racontée. » (A. R.-G., « Temps et description dans le récit d'aujourd'hui », dans *Pour un Nouveau Roman*, Éditions de Minuit, p. 131.)

Instantanés, textes brefs, Éditions de Minuit, 1962, 112 p.

L'Immortelle, ciné-roman, Éditions de Minuit, 1963, 210 p.

« Voici donc les points sur lesquels se sont portées les attaques les plus fréquentes et les plus violentes : d'abord le manque de "naturel" dans le jeu des acteurs, ensuite l'impossibilité de distinguer clairement ce qui est "réel" de ce qui est mental (souvenir ou phantasme), enfin la tendance des éléments à forte charge passionnelle à se transformer en "cartes postales" (touristiques pour la ville d'Istanboul, érotiques pour l'héroïne, etc.). On voit que ces trois reproches n'en constituent au fond qu'un seul : la structure du film ne donne pas assez confiance dans la vérité objective des choses. (…) Le *vrai*, le *faux* et le *faire croire* sont devenus plus ou moins le sujet de toute œuvre moderne ; celle-ci, au lieu d'être un prétendu morceau de réalité, se développe en tant que réflexion sur la réalité (ou sur le *peu de réalité*, comme on voudra). (…) Si bien que nous retrouvons là, dans l'écriture cinématographique, une fonction voisine de celle assumée par la description en littérature : l'image ainsi traitée (quant aux acteurs, aux décors, au montage, dans ses rapports avec le son, etc.) empêche de croire en même temps ce qu'elle affirme, comme la description empêchait de voir ce qu'elle montrait. » (A. R.-G., « Temps et description dans le récit d'aujourd'hui », dans *Pour un Nouveau Roman*, Éditions de Minuit, p. 129.)

Pour un Nouveau Roman, essais, Éditions de Minuit, 1963, 148 p.

A quoi servent les théories définit les articles qui suivent non comme une théorie mais comme un ensemble de recherches et de mises au point circonstancielles (p. 7-13). — *Une voie pour le roman futur* suppose notamment que « dans les constructions romanesques futures, gestes et objets seront *là* avant d'être *quelque chose* » et souligne la « destitution des vieux mythes de la "profondeur" » (p. 15-23). — *Sur quelques notions périmées* étudie le personnage, l'histoire, l'engagement, la forme et le contenu (p. 25-44). — *Nature, huma-*

nisme et tragédie analyse ces trois notions, montre le rôle huma-
niste de la métaphore comme solidarité entre l'homme et les choses
et étudie dans cette optique des textes de Camus (*L'Étranger*), Sartre *(La Nausée)*, Ponge (notamment *Le Cageot, Le Galet, L'Escar-
got*) (p. 45-67). — *Éléments d'une anthologie moderne* regroupe cinq
essais qui permettent «chacun de préciser quelques thèmes et formes caractéristiques de cette littérature en train de se faire»
(p. 69-112). — *Énigmes et Transparence chez Raymond Roussel*
(p. 70-76). — *La Conscience malade de Zeno*, Italo Svevo (p. 77-81).
— *Joe Bousquet le rêveur* (p. 82-94). — *Samuel Beckett ou la Présence sur la scène* (p. 95-107). — *Un roman qui s'invente lui-même*,
Robert Pinget (p. 108-112). — *Nouveau roman, homme nouveau*
s'efforce de redresser plusieurs jugements habituels sur le Nouveau
Roman : «le nouveau roman n'est pas une théorie, c'est une recherche»; il «ne fait que poursuivre une évolution constante du genre
romanesque»; il «ne s'intéresse qu'à l'homme et à sa situation dans
le monde»; il «ne vise qu'à une subjectivité totale»; il «s'adresse
à tous les hommes de bonne foi»; il «ne propose pas de signification toute faite»; «le seul engagement possible, pour l'écrivain, c'est
la littérature» (p. 113-121). — *Temps et Description dans le récit
d'aujourd'hui* (p. 123-134). — *Du réalisme à la réalité* souligne que,
loin de tout stéréotype, le roman est invention (p. 135-144).

La Maison de rendez-vous, roman, **Éditions de Minuit, 1965,
220 p.**

«*La Maison de rendez-vous* ne correspond pas à ce que certains
attendent de moi. Ceux qui se sont intéressés au côté fantastique
de mes livres n'auront pas de surprise. Mais ceux qui ont voulu
m'enfermer dans un réalisme objectif, pour ne pas dire ''objectal'',
seront décontenancés. Ils ne retrouveront pas les longues, les minutieuses descriptions d'objets auxquelles ils étaient habitués. Les
actions en mouvement les remplacent. En outre, je suis amené à faire
usage, dans le vocabulaire, d'un grand nombre d'adjectifs que, selon
Roland Barthes, je devrais condamner.
— *Des adjectifs stéréotypés?*
— Bien sûr, puisque je joue avec des archétypes.
— *Alors*, La Maison de rendez-vous *n'est-elle pas un roman paro-
dique, comme l'était le* Don Quichotte *pour les romans de chevalerie?*
— Vous savez, il y a toujours eu de l'humour dans mes livres.
Mais, c'est comme pour les histoires, on ne l'y a pas vu.»
(A. R.-G., entretien avec Jacqueline Piatier dans *Le Monde*, 9 octo-
bre 1965.)

Projet pour une révolution à New York, **roman, Éditions de Minuit, 1970, 216 p.**

« Mais je voudrais préciser ma position sur une question voisine : le rôle de l'Amérique dans *Projet*... Disons tout de suite qu'il ne s'agit pas de l'Amérique en général, mais de New York, ville qui nous donne au maximum cette sensation d'antinaturalité. A tort ou à raison, New York est pour nous le lieu par excellence où il n'y a plus rien de naturel, tout y est transformé sans cesse à l'état de mythe. C'était donc, pour moi, un lieu privilégié. Et j'ai nommé New York. Ayant mis assez longtemps sans doute à liquider certains conflits avec la nature, dans mes premiers livres je me refusais complètement à nommer. Le décor du *Voyeur* a été fait d'un mélange d'îles bretonnes que je connaissais (puisque c'est quand même toujours avec les sensations vécues qu'on fabrique), mettons Ouessant, Belle-Ile, etc. Mais j'ai éprouvé le besoin de dépayser le texte par rapport à la Bretagne : les personnages du livre payent en couronnes et non en francs français. A partir de la charnière du *Labyrinthe* (...), j'ai nommé Hong Kong, puis maintenant New York. Je savais désormais qu'il ne pouvait plus être question de représentation, et je pouvais nommer une ville réelle tout en produisant par mon propre texte une ville parfaitement imaginaire. » (A. R.-G., Intervention, dans *Nouveau Roman : hier, aujourd'hui, II. Pratiques*, UGE, coll. « 10/18 », p. 166.)

Glissements progressifs du plaisir, **ciné-roman, Éditions de Minuit, 1973, 222 p.**

« Le présent volume ne prétend pas être une œuvre littéraire ; c'est seulement un document concernant une œuvre qui existe extérieurement à ce volume, et indépendamment : une œuvre cinématographique. Rien ne peut ''remplacer'' les images et les sons constituant la matière textuelle de cette œuvre, même les descriptions plus ou moins précises que l'on trouvera dans les pages qui suivent (...)

« Selon l'irremplaçable opposition saussurienne entre langue et parole, disons que les scènes de comédie, le goût du sang, les belles esclaves, la morsure des vampires, etc., ne représentent pas la parole de ce film, mais seulement sa langue. C'est la parole d'une société qui a été découpée en morceaux afin de la faire rétrograder à l'état de langue. Et c'est cette langue seconde qui va servir de réservoir à matériaux pour produire une parole nouvelle, une structure non réconciliée, ma propre parole. » (A. R.-G., Introduction, p. 9 et p. 14.)

Topologie d'une cité fantôme, roman, Éditions de Minuit, 1975, 202 p.

« Prenez le livre qui sort actuellement : chaque page du manuscrit a été soigneusement annotée. Tout d'abord des lettres : A, B, C, D, destinées à identifier les différents états. (Après *Les Gommes*, j'ai décidé de remplacer les systèmes des fiches par une sorte de brouillon : l'état zéro, intitulé o.) Vous avez d'autres lettres pour identifier les chapitres. Vous avez enfin des chiffres pour indiquer le nombre de pages de chacun de ces chapitres. Ce système de repérage peut vous paraître compliqué. Pourtant, citez-moi, au hasard, n'importe laquelle des notations de mes différents manuscrits (tout est conservé dans une armoire ; je ne jette jamais rien ; la corbeille à papier est un instrument que j'ignore), vous verrez que je puis vous répondre immédiatement le titre, l'état, le chapitre et la page du livre dont il s'agit. » (A. R.-G., « Comment travaillent les écrivains », propos recueillis par J.-L. de Rambures dans *Le Monde*, 16 janvier 1976.)

Un régicide, roman, Éditions de Minuit, 1978, 228 p.

Un roman terminé en 1949. « Comme je ne me plaçais pas du tout dans une tradition romanesque réaliste, je n'avais même pas à me poser la question de savoir si le monde de l'usine, ou celui de l'île, était réel ou fantasme. La vie quotidienne et la vie onirique communiquaient constamment dans une continuité totale. (...) Le travail du livre a été conçu comme une aventure et non comme l'application d'une forme stricte et délimitée à l'avance. Mon projet était celui d'une aventure formelle. » (A. R.-G., entretien avec M. Rybalka dans *Le Monde*, 22 septembre 1978.)

Souvenirs du triangle d'or, roman, Éditions de Minuit, 1978, 238 p.

« Entendons-nous bien, il ne s'agit pas de différentes histoires qui se recoupent, comme dans un roman qui comporterait plusieurs intrigues entremêlées : c'est *la même histoire* qui peut être racontée de façons différentes. Dans *Souvenirs*, un lieu, un personnage, peuvent être plusieurs choses à la fois, un événement peut se lire de façon plurielle. Ainsi, la cellule du prisonnier peut devenir la chambre d'une des prostituées adolescentes, et la clinique où le docteur Morgan pratique ses expériences. » (A. R.-G., entretien avec M. Rybalka dans *Le Monde*, 22 septembre 1978.)

Djinn, roman, Éditions de Minuit, 1981, 146 p.

Le Miroir qui revient, Éditions de Minuit, 1984, 232 p.

« Il ne s'agit pas d'une autobiographie, ou alors tous mes écrits le sont. Comme je le dis dans le livre, je n'ai jamais parlé d'autre chose que de moi. Disons qu'il y a, dans *Le Miroir qui revient*, de nombreuses pages qui ont une valeur autobiographique directe. Mais je ne suis pas sûr que l'ensemble respecte le pacte autobiographique, tel que le définit Philippe Lejeune (…). Je vois *Le Miroir qui revient* comme le premier volet d'un ensemble dont le titre général pourrait être *Romanesques*. *Le Miroir qui revient* correspond au stade du miroir lacanien : l'enfant recolle ses morceaux dans la glace et s'aperçoit que l'image de lui-même est un autre ! » (A. R.-G., « Je n'ai jamais parlé d'autre chose que de moi », entretien avec J.-P. Salgas dans *La Quinzaine littéraire*, 16 janvier 1985.)

Angélique ou l'Enchantement, Éditions de Minuit, 1988, 254 p.

« Aussi, je vois très peu de différences entre mon travail de romancier et celui-ci, plus récent, d'autobiographe. Les éléments constitutifs, tout d'abord, sont de même nature, puisés dans le même trésor opaque. N'avais-je pas déjà introduit dans mes romans, dès le début, le décor vrai de mon enfance (les îles bretonnes d'*Un régicide* et du *Voyeur*), la mesure réelle de mon propre visage (prêtée à Wallas, le policier maladroit des *Gommes*) (…) J'aurais en somme seulement depuis *Le Miroir qui revient* compliqué un peu plus la donne (…) en introduisant cette fois parmi les effets de personnages qui avaient nom Boris, Édouard Manneret, Mathias ou Joan Robeson, un autre effet de personnage qui s'appelle moi, Jean Robin. » (p. 68-69.)

4.7. Nathalie Sarraute

Tropismes, textes brefs (Denoël 1939), Éditions de Minuit, 1957, 144 p.

« Je ne m'en rendais pas bien compte au début. Yvon Belaval l'avait noté lui aussi, à propos de *Tropismes*, mon premier livre paru pour la première fois avant la guerre : "C'est l'effort créateur à l'état naissant." Je crois qu'il avait raison : toujours la substance première de l'écriture a fait l'objet de ma recherche, dans tous mes livres. » (N. S., « Les secrets de la création », entretien avec G. Serreau dans *La Quinzaine littéraire*, 1er mai 1968.)

« Il est vrai que l'analyse des sentiments, l'étude des "caractères" telles qu'on les trouve chez les romanciers du XIXe siècle sont devenues suspectes aujourd'hui. Elles m'ont paru suspectes dès mon premier livre, *Tropismes*. Je m'attachais à recréer des mouvements intérieurs et non à camper des individus. D'où la disparition des personnages, au sens classique du terme, dans mes romans. » *(Id.)*

Portrait d'un inconnu, roman (Robert Marin 1948), Gallimard, 1956, 238 p.

« Un chapitre entier de *Portrait d'un inconnu* s'est formé à partir de quelques mots banals, "De qui médisez-vous ?", qui ont servi de réactif ou de catalyseur. Un fait est certain : la recherche des tropismes est indissolublement liée à une recherche de la forme : ils doivent être pris dans du langage et transformés par lui, mais ils ne peuvent se plier à une forme préexistante. Il est donc nécessaire de trouver celle qui leur permettra d'accéder à la vie. Au moment de me mettre au travail sur un roman, j'ai presque toujours une vision géométrique de celui-ci : *Portrait d'un inconnu*, cela se présentait comme un espace entièrement clos avec une agitation intérieure provoquée par deux consciences en train de s'affronter. » (N. S., « Comment travaillent les écrivains », propos recueillis par J.-L. de Rambures dans *Le Monde*, 14 janvier 1972.)

Martereau, roman, Gallimard, 1953, 292 p.

« *Martereau*, c'était (…) un bloc monolithique appelé à se désintégrer au contact des autres consciences extérieures qui, elles, étaient tout agitées de mouvements. » (N.S., « Comment travaillent les écrivains », propos recueillis par J.-L. de Rambures dans *Le Monde*, 14 janvier 1972.)

« A partir de la phrase la plus banale du dialogue le plus commun qui soit, j'ai essayé, dans *Martereau*, publié en 1953, de construire quatre actions dramatiques différentes, choisies dans la masse infinie de ces virtualités que l'imagination fait surgir, dont aucune n'a sur l'autre l'avantage d'une réalité ou d'une vérité plus grande.

« Cette même scène reprise dans quatre variantes différentes (il aurait pu y en avoir quarante) a constitué une technique qui, employée avec les résultats remarquables que vous connaissez et répondant à une exigence très différente de la mienne, est aujourd'hui considérée comme une des caractéristiques essentielles du Nouveau Roman. » (N. S., « Ce que je cherche à faire », dans *Nouveau Roman : hier, aujourd'hui, II. Pratiques*, UGE, coll. « 10/18 », p. 36.)

L'Ère du soupçon, essais, Gallimard, 1956, 156 p.

De Dostoïevsky à Kafka établit entre les deux écrivains une ligne que prolongent en quelque sorte les tentatives de Nathalie Sarraute (p. 9-52). *L'Ère du soupçon* insiste sur l'affaiblissement du personnage dont la notion est incompatible avec les « tropismes » qui appartiennent à un « fond commun » (p. 55-77). *Conversation et Sous-conversation* définit le domaine privilégié des tropismes : les mouvements infimes (p. 81-124). *Ce que voient les oiseaux* (p. 127-155) analyse divers malentendus. Les écrivains véritablement réalistes, par exemple, sont ceux que l'on nomme communément et abusivement écrivains formalistes. Un auteur réaliste est celui « qui s'attache avant tout — quel que soit son désir d'amuser ses contemporains ou de les instruire, ou de lutter pour leur émancipation — à saisir, en s'efforçant de tricher le moins possible et de ne rien rogner ni aplatir pour venir à bout des complexités, à scruter, avec toute la sincérité dont il est capable, aussi loin que le lui permet l'acuité de son regard, ce qui lui apparaît comme étant la réalité » (p. 141). Sa préoccupation fondamentale n'est donc pas la forme mais la saisie du réel, et la forme n'est qu'un instrument de cette entreprise. Aussi « il s'aperçoit souvent, quand il cherche à mettre au jour cette parcelle de réalité qui est la sienne, que les méthodes de ses prédécesseurs, créées par eux pour leurs propres fins, ne peuvent plus lui servir. Il les rejette alors sans hésiter et s'efforce d'en trouver de nouvelles, destinées à son propre usage » (p. 141).

Le Planétarium, roman, Gallimard, 1959, 272 p.

« Dans *Le Planétarium*, Alain Guimier pourrait presque être un écrivain : déjà il trouve une substance vivante dans des choses qui paraissent à tous sans intérêt, qui ne sont pas admises, que tous dédaignent et qui lui appartiennent à lui seul, et c'est la raison pour laquelle Germaine Lemaire, écrivain académique, ne le comprend pas. » (N. S., « Les secrets de la création », entretien avec G. Serreau dans *La Quinzaine littéraire*, 1er mai 1968.)

« Il y a des passages du *Planétarium* et d'*Entre la vie et la mort* que j'ai refaits au moins cinquante fois. Je ne me considère comme satisfaite que lorsque je sens que je ne puis quant à moi aller plus loin, qu'il m'est impossible de faire mieux. Alors seulement je donne à taper le texte que parfois je retravaille encore. » (N. S., « Comment travaillent les écrivains », propos recueillis par J.-L. de Rambures dans *Le Monde*, 14 janvier 1972.)

Les Fruits d'or, roman, Gallimard, 1963, 228 p.

« Un aspect des *Fruits d'or*, c'est le besoin, et l'impossibilité de saisir dans une œuvre d'art une valeur absolue. Elle se dérobe constamment. Un seul lecteur arrive, à la fin, à établir un contact direct, à préserver la fraîcheur intacte de la sensation, comme s'efforce de le faire un écrivain. » (N. S., « Les secrets de la création », entretien avec G. Serreau dans *La Quinzaine littéraire*, 1er mai 1968.)

« *Les Fruits d'or* (c'était) une courbe ascendante, puis descendante. » (N. S., « Comment travaillent les écrivains », propos recueillis par J.-L. de Rambures dans *Le Monde*, 14 janvier 1972.)

« D'ailleurs, on ne parle pas d'un livre comme on le fait dans *Les Fruits d'or*, ne serait-ce que parce que la simple politesse s'y oppose.

Et dire qu'on a parlé à propos d'eux de "conversations de cocktails" ! » *(Id.)*

Entre la vie et la mort, roman, Gallimard, 1968, 254 p.

« Chaque roman nouveau est pour moi comme un prolongement, un approfondissement du précédent. Après *Les Fruits d'or*, j'ai voulu repartir de plus loin, à la racine de l'œuvre littéraire, au niveau de la source première où elle naît et sur laquelle pèse à chaque instant une menace — à chaque instant et depuis toujours, depuis l'enfance. Elle peut se troubler cette source, se tarir, se perdre. On risque la mort. Ensuite, le livre est fait, présenté et l'écrivain sort de sa solitude pour affronter nécessairement les autres, cette fois à visage découvert. » (N. S., « Les secrets de la création », entretien avec G. Serreau dans *La Quinzaine littéraire*, 1er mai 1968.)

« La sensation encore intacte qui le pousse à créer c'est quelque chose qui lui appartient en propre, qui ne peut être comparé à rien, une parcelle, si mince soit-elle, de valeur absolue. C'est cela qu'il doit transformer en mots, qu'il doit faire exister dans un langage. Cette fusion de la sensation et du langage est une expérience unique, elle aussi. Et puis une fois que le livre est achevé, accepté, l'écrivain prend rang parmi les autres, on lui donne un numéro, on le compare, on le mesure, en fait il est "pris". Et il lui devient difficile de retourner à la solitude d'où il sort. Et pourtant il faut qu'il y retourne, si la source n'est pas encore tarie. » *(Id.)*

« Dans *Entre la vie et la mort*, j'ai montré un enfant qui aime jouer avec les mots. Avec un mot, Hérault (le nom du département), il s'amuse à faire des calembours. Avec Hérault, héros, erre haut, héraut, R.O., etc., il fait surgir en lui des représentations, des images.
« Mais cette attention, cette sensibilité aux mots, ce goût pour ce genre de jeux, propre à beaucoup d'enfants, ne suffisent nullement à prédire qu'il sera un jour écrivain.
« Seule la mère de cet enfant, qui se fait une idée très convenue de ce qu'est *un écrivain*, y voit un signe de ce qui, à ses yeux, est une *prédestination*. Elle l'encourage, se mêle à ses jeux, arrive à faire surgir d'autres images du même ordre, de jolies images d'Épinal, à peine plus chargées d'une même poésie de pacotille.
« Elle parvient alors, sans le vouloir — et c'est peut-être là que pourrait se nicher son espoir naïf d'avoir un fils *poète* — elle parvient ainsi à le dégoûter de ces jeux, à les lui faire abandonner, comme elle l'a fait s'écarter de tous les objets *poétiques* vers les-

quels elle cherchait à l'attirer, des bourgeons, des chatons, des feuilles d'automne, etc.

« A s'en écarter pour aller ailleurs. Pour aller vers quoi ? Eh bien, vers ces régions où ni elle ni personne ne pourra le suivre, des régions silencieuses et obscures où aucun mot ne s'est encore introduit, sur lesquelles le langage n'a pas encore exercé son action asséchante et pétrifiante, vers ce qui n'est encore que mouvance, virtualité, sensations vagues et globales, vers ce non-nommé qui oppose aux mots une résistance et qui pourtant les appelle, car il ne peut exister sans eux. » (N. S., « Ce que je cherche à faire » dans *Nouveau Roman : hier, aujourd'hui, II. Pratiques*, UGE, coll. « 10/18 », p. 32.)

Vous les entendez ?, roman, Gallimard, 1972, 224 p.

« Pour mon dernier livre, *Vous les entendez ?*, c'est un objet que je voyais au centre, une bête de pierre provoquant toutes sortes de perturbations à l'intérieur d'un groupe de consciences unies par des liens étroits. Le problème, c'est de traduire cette vision globale en images concrètes, c'est de réussir à saisir dans un rythme les sensations, d'abord plus ou moins floues, qui me viennent. Et cela, c'est seulement en écrivant qu'on y parvient. » (N. S., « Comment travaillent les écrivains », propos recueillis par J.-L. de Rambures dans *Le Monde*, 14 janvier 1972.)

« disent les imbéciles », roman, Gallimard, 1976, 194 p.

Théâtre, Gallimard, 1978, 150 p.

Cinq pièces : *Elle est là. - C'est beau. - Isma. - Le mensonge. - Le silence.*

A propos notamment des deux dernières : « C'est que je ne m'attache qu'aux moments de conflits, à ces instants privilégiés où tout se détraque, puis refait surface pour se détraquer à nouveau. C'est le conflit qui me sert de catalyseur, de révélateur — chaque fois qu'il y a une craquelure dans la paroi lisse. » (N. S., « Les secrets de la création », entretien avec G. Serreau dans *La Quinzaine littéraire*, 1er mai 1968.)

« J'ai mis du temps à m'en apercevoir, à remarquer que mon théâtre continuait mes romans, que je quittais, en quelque sorte, une scène pour une autre. » (N. S., « Mon théâtre continue mes romans », entretien avec L. Finas dans *La Quinzaine littéraire*, 16 décembre 1978.)

L'usage de la parole, **textes brefs, Gallimard, 1980, 160 p.**

Pour un oui ou pour un non, **théâtre, Gallimard, 1982, 60 p.**

« Un mouvement intérieur dissimulé sous des paroles en apparence banales et anodines. Par exemple, dans l'une de mes pièces de théâ-tre, *Pour un oui ou pour un non*, deux amis s'entretiennent ensem-ble et l'un d'eux pour féliciter l'autre d'un succès quelconque lui dit : ''C'est bien, ça.'' La manière traînante de prononcer ce ''c'est bien'' révèle soudain toute une série de rapports dont les deux inter-locuteurs n'étaient pas conscients jusqu'alors. Et tout cela juste à cause d'une intonation qui peut apparaître ironique ou vulgaire, irri-tante. C'est comme si, tout à coup, il y avait un déclic et qu'une paroi s'ouvrait, découvrant des choses cachées derrière. C'est en gros cela le mécanisme du tropisme. » (N. S., « Nathalie Sarraute et son ''il'' », entretien avec M. Gazier dans *Télérama*, 11 juillet 1984, p. 38.)

Enfance, **Gallimard, 1983, 258 p.**

« Je parle rarement de moi, je parle de ce qui m'arrive, mais de moi d'un point de vue autobiographique, je peux dire presque jamais, même à mes proches. Je ne le fais pas et je ne l'ai jamais fait sur-tout parce que j'ai toujours l'impression que si j'affirme quelque chose sur ma façon d'être, le contraire sera aussi vrai. Il arrive tout de suite qu'un autre aspect apparaisse. C'est pourquoi je n'aime pas dire : voilà ce que j'éprouvais exactement. » (N. S., « Nathalie Sar-raute à la source des sensations », entretien avec F. Poirié dans *Art Press*, juillet-août 1983, p. 28.)

« Lorsque j'ai écrit *Enfance*, tout le monde a cru que j'abandon-nais ma voie et que je me lançais dans un livre de mémoire. C'est faux.
« Je n'ai voulu donner que des impressions et non ressusciter des personnages que je ne connais pas vraiment, pas même un père. On dit des mots par habitude : ''Ton père, ta sœur, mon petit'', mais sait-on jamais ce qu'ils représentent ? Moi je cherche ce qu'il y a derrière. » (N. S., « Nathalie Sarraute et son ''il'' », entretien avec M. Gazier dans *Télérama*, 11 juillet 1984, p. 38.)

Tu ne t'aimes pas, **roman, Gallimard, 1989, 216 p.**

« La première page est comme le *la*. Je suis obligée d'avoir dans tous mes livres un début qui probablement ne bougera pas, qui donne le ton général et qui sort je ne sais comment. A partir du moment où j'ai ce tremplin, je saute. *Tu ne t'aimes pas* est parti d'une phrase entendue il y a très longtemps. C'est revenu tout à coup, je ne sais pas pourquoi, comme m'était revenue la phrase ''C'est bien... ça'' dans *Pour un oui ou pour un non*. Il y a dans cette phrase, ou cette situation, ce thème général qui arrive à grouper des mouvements autour de lui, qui les attire. Tu ne t'aimes pas : j'espère qu'il n'y aura pas de confusion. Ça ne veut pas dire ''tu te détestes'', mais tu n'as rien, aucun sentiment à ton propre égard, ni bon ni mauvais (...). » (N. S., « Intérieur Sarraute », entretien avec M. Alphant dans *Libération*, 28 septembre 1989.)

4.8. Claude Simon

Le Tricheur, roman, Éditions de Minuit, 1945, 250 p.

La Corde raide, roman, Éditions de Minuit, 1947, 188 p.

« D'une certaine façon, bien sûr, *La Corde raide* annonce *La Route des Flandres*, *Le Palace*, *Histoire* et même *Pharsale*, mais plutôt à la façon d'un répertoire, d'un inventaire des thèmes (je dis bien thèmes et non pas sujets) dans lequel j'ai ensuite puisé. Quant à ce que je pense de ce texte en soi, voici : il m'agace par un ton d'assurance et de provocation qui tient aux circonstances dans lesquelles il a été écrit et à l'âge que j'avais alors. Lorsque l'on est jeune, on n'est pas très sûr de soi ni des choses, et l'on éprouve le besoin de se rassurer en affirmant. » (C. S., « Réponses à Ludovic Janvier », dans *Entretiens* n° 31, consacré à Claude Simon.)

Gulliver, roman, Calmann-Lévy, 1952, 382 p.

« (...) le hiatus que constitue *Gulliver* : désorienté par les critiques qui avaient accueilli *Le Tricheur*, peu sûr de moi, j'ai cherché alors à prouver — entreprise absurde ! — que je pouvais écrire un roman de facture traditionnelle. Excellente et fertile erreur au demeurant. Le résultat était édifiant : je ne pouvais pas. » (C. S., « Réponses à Ludovic Janvier », dans *Entretiens* n° 31.)

Le Sacre du printemps, roman, Calmann-Lévy, 1954, 276 p.

Dessin parallèle à l'écriture de La Bataille de Pharsale.

Le Vent, tentative de restitution d'un retable baroque, roman, Éditions de Minuit, 1957, 242 p.

« Assez vite (et dans *Le Vent* j'ai expressément formulé cela dans certains passages) j'ai été frappé par l'opposition, l'incompatibilité même, qu'il y a entre la discontinuité du monde perçu et la continuité de l'écriture. » (C. S., « Réponses à Ludovic Janvier », dans *Entretiens* n° 31.)

L'Herbe, roman, Éditions de Minuit, 1958, 264 p.

« Il y a eu d'une façon assez confuse une rupture entre *Le Vent* et *L'Herbe* et ensuite une évolution assez lente dans laquelle je me suis efforcé de rejeter ce que je considérais comme des scories. » (C. S., ''Intervention'', dans *Nouveau Roman : hier, aujourd'hui, II. Pratiques*, UGE, coll. « 10/18 », p. 116.)

La Route des Flandres, roman, Éditions de Minuit, 1960, 314 p.

« *La Route des Flandres* aurait pu s'appeler ''Description fragmentaire d'un désastre''. » (C. S., « La fiction mot à mot », dans *Nouveau Roman : hier, aujourd'hui, II. Pratiques*, UGE, coll. « 10/18 », p. 86-87.)

« Cette considération des propriétés d'une figure et de ses dérivées ou subordonnées constitue en somme une exploration du terrain autour d'un camp de base, d'un point de référence permanent, comme, par exemple, dans *La Route des Flandres*, les cavaliers dans leur errance (ou le narrateur errant dans sa forêt d'images) repassent par ou reviennent toujours à ces points fixes que sont Corinne ou, topographiquement, le cheval mort au bord de la route, suivant ainsi un trajet fait de boucles qui dessinent un trèfle, semblable à celui que peut tracer la main avec une plume sans jamais lui faire quitter la surface de la feuille de papier. » (*Id.*, p. 88-89.)

Le Palace, roman, Éditions de Minuit, 1962, 230 p.

« Autre exemple de composition symétrique, *Le Palace*, qui s'ouvre par un chapitre intitulé *Inventaire*, se ferme sur un autre intitulé *Le Bureau des objets trouvés*, le chapitre central, sur les cinq que comporte l'ouvrage, intitulé *Les Funérailles de Patrocle* (décrivant l'enterrement d'un chef révolutionnaire, assassiné) lui-même encadré par les chapitres 2 et 4 qui relatent chacun un meurtre, le premier raconté par son auteur, le deuxième soupçonné par le narrateur

qui en est le témoin incertain. » (C. S., « La fiction mot à mot »,
dans *Nouveau Roman : hier, aujourd'hui, II. Pratiques*, UGE, coll.
« 10/18 », p. 93.)

Histoire, roman, Éditions de Minuit, 1967, 402 p.

« La composition d'*Histoire* pourrait être schématisée sous la
forme de plusieurs sinusoïdes de longueur d'onde variable qui courent tantôt au-dessus, tantôt au-dessous (invisibles alors) d'une ligne
continue (...), apparaissant, disparaissant, se confondant, se coupant, interférant ou se séparant, la ligne étant en réalité une courbe
de très grand rayon, un cercle qui revient à son point de départ (le
narrateur étendu sur son lit) cependant que les périodes d'oscilla-
tion des diverses sinusoïdes raccourcissent de plus en plus, leurs crêtes
alternant et se succédant à un rythme de plus en plus précipité. »
(C. S., « La fiction mot à mot », dans *Nouveau Roman : hier,
aujourd'hui, II. Pratiques*, UGE, coll. « 10/18 », p. 94.)

La Bataille de Pharsale, roman, Éditions de Minuit, 1969, 272 p.

« Pour *Pharsale*, c'est (...) un (...) genre de composition, que l'on
pourrait peut-être appeler musical : c'est-à-dire qu'après un court
prélude où les différents thèmes (ou générateurs, comme les a (...)
appelés Ricardou) sont brièvement exposés, se développe une première partie ''installant'' ces différents thèmes repris ensuite, appro-
fondis avec des variations l'un après l'autre, séparément, dans la
seconde partie : Bataille, Guerrier, Machine, César, Voyage, O enfin
qui (...) donne une clef du livre très expressément défini comme un
''système mobile se déformant sans cesse autour de rares points
fixes'' ou intersections. Quant à la troisième et dernière partie du
roman, elle rassemble une nouvelle fois les principaux thèmes et leurs
dérivées, les brasse et les combine dans une polyphonie dont le tempo
se fait plus rapide et haché. » (C. S., « La fiction mot à mot », dans
Nouveau Roman : hier, aujourd'hui, II. Pratiques, UGE, coll.
« 10/18 », p. 94-95.)

Orion aveugle, Skira, 1970, 150 p.

(Variante des *Corps conducteurs* avec une préface et vingt illustrations.)
« C'est ainsi qu'ont été écrits *La Route des Flandres*, *Le Palace*,
et plus encore *Histoire*, et plus encore (...) les pages que voici, nées
du seul désir de ''bricoler'' quelque chose à partir de certaines peintures que j'aime. Textes qui, tous, se sont faits d'une façon absolu-

ment imprévue de moi au départ, les quelques images initiales s'étant, en cours de route, précisées et augmentées de toutes celles que l'écriture et les nécessités de construction leur ont adjointes. » (*Orion aveugle*, p. 12-13.)

Les Corps conducteurs, roman, Éditions de Minuit, 1971, 228 p.

« Lorsque dans *Les Corps conducteurs* j'écris : ''Au-dessus de l'inscription et à l'aide de la même peinture blanche a été tracée une *croix* dont les bras laissent pendre également des rigoles de sang blanc'' (p. 14), et, immédiatement après, même page : ''Il a retiré son casque et le tient au creux de son bras replié dont l'index tendu est pointé en direction d'un *crucifix* que son autre main élève dans le ciel vert'', bien sûr, aucune ''logique du récit'' dans le sens où l'entend (le critique traditionnel) ne relie les deux descriptions dont l'une est celle d'un sigle tracé sur le mur d'un immeuble moderne et l'autre un timbre commémorant le débarquement des premiers navigateurs sur le rivage américain, éléments très éloignés dans le temps et l'espace mais que cependant, dans le texte, confrontent les mots *croix* et *crucifix*. » (C. S., « La fiction mot à mot », dans *Nouveau Roman : hier, aujourd'hui, II. Pratiques*, UGE, coll. « 10/18 », p. 78-79.)

Triptyque, roman, Éditions de Minuit, 1973, 226 p.

« J'avais le projet de faire un roman irréductible à tout schéma réaliste, c'est-à-dire un roman où les rapports entre les différentes ''séries'' (ou ''ensembles'') ne relèveraient pas d'un quelconque enchaînement ou déterminisme d'ordre psychologique, ou encore de similitudes de situations ou de thèmes (comme celui de l'errance sans aboutissement qui dominait *Les Corps conducteurs*), et où encore il n'y aurait pas de personnages, de temps ou de lieux apparemment privilégiés. » (« C. S. à la question », dans *Claude Simon : analyse, théorie*, UGE, coll. « 10/18 », p. 424.)

Leçon de choses, roman, Éditions de Minuit, 1975, 186 p.

« Je suis très sensible à la musique. Si je n'étais pas si vieux, j'apprendrais l'harmonie pour comprendre comment fonctionne, par exemple, un quatuor de Beethoven. Peut-être serait-il alors possible de composer un roman parfait ?... En tout cas c'est là-dessus que j'essaie de me guider. Par exemple, *Leçon de choses* est composé un peu à la manière d'une fugue : thème et variations. » (C. S., entretien avec A. Poirson dans *La Nouvelle Critique*, n° 105, juin 1977, p. 41.)

Les Géorgiques, roman, Éditions de Minuit, 1981, 478 p.

«(...) c'est un ''bricolage'' à partir des papiers de cet ancêtre dont l'histoire m'intriguait. Puis il s'est développé peu à peu sans que je sache exactement où j'allais. C'est toujours ma manière de faire (...). Vous savez, je crois qu'écrire c'est avant tout composer : agencer des mots à l'intérieur de la phrase, les phrases à l'intérieur des paragraphes, les motifs à l'intérieur du texte... *Les Géorgiques* une fois écrites, je les ai entièrement recomposées (...). Vous savez, la littérature dit toujours les mêmes choses : l'amour, la mort, la fuite du temps, les espoirs, les désillusions, la peine des hommes. Ce qui compte, c'est la manière dont c'est dit. Parce que chaque fois que la manière change, ces mêmes choses deviennent ''autre chose''. La Crucifixion peinte par Grünewald ou par Tintoret, c'est toujours la Crucifixion et pourtant c'est radicalement différent...» (C. S., «Claude Simon ouvre *Les Géorgiques*», entretien avec J. Piatier dans *Le Monde*, 4 septembre 1981, p. 13.)

La Chevelure de Bérénice (Maeght, 1965), Éditions de Minuit, 1984, 24 p.

«J'avais d'abord pensé à *La Lumière orange de la lampte derrière la toile de Sac*, qui aurait été le titre le plus exact. Mais à la réflexion, j'ai craint que le cela ne paraisse volontairement sophistiqué. J'ai donc cherché dans le texte quelque chose d'autre. A un endroit, il est parlé des étoiles qui se reflètent dans les remous des jambes des pêcheurs et de la Chevelure de Bérénice. Ce nom de constellation (ou, si vous préférez, cette constellation de mots) m'a semblé beau. C'est tout (...). Dans mon esprit, [*La Chevelure de Bérénice*] est plutôt un poème.» (C. S., «J'ai essayé la peinture, la révolution puis l'écriture», entretien avec C. Paulhan dans *Les Nouvelles*, 15 mars 1984, p. 42.)

Discours de Stockholm, Éditions de Minuit, 1986, 32 p.

«Je reviendrai sur le reproche fait à mes romans (d'être) le produit d'un travail ''laborieux'', et donc fortement ''artificiel''. Le dictionnaire donne de ce dernier mot la définition suivante : ''Fait avec art'', et encore : ''Qui est le produit de l'activité humaine et non celui de la nature'', définition si pertinente que l'on pourrait s'en contenter si, paradoxalement, les connotations qui s'y rapportent, communément chargées d'un sens péjoratif, ne se révélaient à l'examen elles aussi des plus instructives — car si, comme l'ajoute le dictionnaire, ''artificiel'' se dit aussi de quelque chose de ''fac-

tice, fabriqué, faux, imité, inventé, postiche'', il vient tout de suite
à l'esprit que l'art, invention par excellence, factice aussi (du latin
facere, ''faire'') est donc fabriqué (mot auquel il conviendrait de
restituer toute sa noblesse), et par excellence imitation (ce qui pos-
tule bien évidemment le faux). » (P. 11-12.)

L'Invitation, Éditions de Minuit, 1988, 94 p.

« En feuilletant mes papiers, je suis tombé sur de petites notes
que j'avais prises au cours de ce voyage en Union soviétique et j'ai
commencé à essayer de les rédiger un peu plus proprement, plus pour
me mettre dans le bain que pour autre chose. (...) Je regarde. Je
ne m'ennuie jamais. Car en fait, si l'on est attentif, il se passe toujours quelque chose. Je ne prends jamais de notes. Il faut faire
confiance à ce que Proust appelle la mémoire involontaire, elle sélec-
tionne. » (C. S., « J'ai deux souvenirs d'intense fatigue : la guerre
et le Nobel », entretien avec M. Alphant dans *Libération*, 6 janvier
1988, p. 28-29.)

L'Acacia, roman, Éditions de Minuit, 1989, 380 p.

« C'est de cette façon que je travaille. Je n'ai jamais peur de la
feuille blanche. Avant d'écrire, il n'y a rien que de l'informe, et il
va se passer quelque chose. C'est une ivresse ! (...) Je n'ai pas pu
mettre un seul point dans le chapitre où je décris la mort de mon
colonel : là, vraiment, c'était une telle mélasse, c'était tellement
informe et cahotique que je pouvais tout juste placer des virgules !
J'avais déjà raconté le même épisode dans *La Route des Flandres*,
mais avec des points, c'est-à-dire des arrêts. Je trouvais que ça tra-
duisait mal cette impression de débâcle infinie. J'ai voulu le reprendre
différemment. » (C. S., « La guerre est toujours là », entretien avec
A. Clavel dans *L'Événement du jeudi* n° 252, 31 août 1989, p. 87.)

« C'est dire si *L'Acacia* a été écrit par fragments. Je n'ai trouvé
sa composition définitive qu'en octobre dernier, il y a moins d'un
an. Cela se fait en tâtonnant : savoir si on doit mettre ce morceau
à droite, ou à gauche, ou après ; chercher ce qui peut s'harmoniser,
jouer, contraster, comme en peinture ou en musique : avec des glissements, avec des lois d'assonances, de dissonances. Avec le sentiment qu'on a plutôt, car il ne s'agit pas de lois fixées. » (C. S., « Et
à quoi bon inventer ? », entretien avec M. Alphant dans *Libération*,
31 août 1989.)

Les raisons
de l'ensemble

Problèmes de la communauté
en littérature sur l'exemple
du Nouveau Roman

> « Pour le présent, nous appelons ces assemblages des
> GROUPES, et nous les voyons dans leur état
> commençant de consolidation. Leur consolidation
> absolue est encore à venir. »
>
> Edgar Poe, *Eureka*[1]

Que cela complaise ou que cela courrouce, il y a toujours, parfois fugaces, parfois durables, des regroupements en littérature. Il est loisible à quiconque, certes, selon ses vues, de les observer ou les ignorer. L'on rencontre pourtant une profuse posture mitoyenne, laquelle, d'un commun geste, les considère et les restreint. Elle les admet : elle accepte bien divers ensembles. Elles les réduit : elle se dérobe aux spéciales questions qui dès lors se disposent.

C'est à la mise au net de certains parmi ces problèmes que, sur l'exemple du Nouveau Roman, les subséquentes pages voudraient concourir.

1. L'appel

Ce qui caractérise surtout le Nouveau Roman, semble-t-il, ce sont deux bizarreries distinctes. L'une est plutôt tapageuse : elle provient des ouvrages eux-mêmes dont quelques-uns continuent à surprendre, encore, bon nombre de lecteurs. L'autre paraît plus modeste : c'est le mode curieux de sa constitution, auquel, à l'évidence, on s'intéresse un peu moins.

---

1. Edgar Poe, *Prose*, Paris, Gallimard, coll. « Bibliothèque de la Pléiade », 1951, p. 786.

Si l'on ne s'étend point trop, en général, sur l'éclosion du Nouveau Roman, c'est, pour sûr, que l'affaire n'est pas simple : loin de pouvoir prendre appui sur l'immédiate clarté d'un début irréfutable, il est nécessaire de se montrer attentif, patiemment, aux gradations d'un lent procès. En effet, la dénomination de Nouveau Roman s'est trouvée en vigueur sans qu'il se soit pourtant montré possible, ni d'examiner, le concernant, aucune charte programmatique, ni d'énumérer sans conteste ses éventuels protagonistes avérés, ni de lui reconnaître un quelconque gouverneur incontestable, ni de s'appuyer sur le départ d'une revue nouvelle. Ou, si l'on aime mieux : l'on a commencé à parler d'un Nouveau Roman sans que celui-ci présentât nul des reliefs d'une école, ou même seulement d'un clair groupe défini. Si l'on s'est mis à évoquer un Nouveau Roman, sans doute est-ce bien parce que se rencontraient, çà et là, d'éparses œuvres inhabituelles, mais c'est surtout, dirait-on, parce qu'il était impératif qu'il en existât un. Comme ensemble, le Nouveau Roman paraît avoir été d'abord l'opportune réponse fournie à un intense désir de nouveauté.

Seules de soigneuses analyses sauraient rendre compte, avec ses nuances, de cette période mobile, toute de troubles et d'incertitudes, en laquelle celui-ci est advenu. Qu'une trop brève esquisse, toutefois, en donne quelque idée. Dans la seconde moitié des années cinquante, l'on s'en souvient peut-être, les milieux intellectuels dits de gauche étaient notamment aux prises avec un double problème. L'un, général, était *politique* : le Parti communiste français et la Section française de l'Internationale ouvrière présentaient, chacun dans son genre, pour d'aucuns, d'insurmontables traits répulsifs. Le premier, par sa flagrante inaptitude à faire sienne la déstalinisation en divers lieux entamée. La seconde, par sa spectaculaire compromission dans une guerre douteuse en Algérie. L'autre difficulté, particulière, était *artistique* : dans ses principales tendances, la littérature n'offrait guère pour lors d'indiscutables principes attractifs. D'un côté persistait ce qui avait offert son meilleur dans l'avant-guerre : le surréalisme, disons, ainsi que les écrivains proches de la *Nouvelle Revue française*. D'un autre côté, sévissait ce qui avait montré ses limites dans l'après-guerre : la sartrienne littérature engagée, disons, ainsi que le réalisme socialiste.

Dans cette conjoncture délicate, maints noyaux de réflexion et de contestation se sont mis à l'œuvre selon des formules variées. Nul doute que ce soient leurs efforts, si divisés et minoritaires fussent-ils, qui, se traversant, se recoupant confusément, ont fourni son dynamisme propre à l'intelligentsia de cette époque. D'où, chez elle, fût-ce de façon disparate, le vif souci de nouveaux regroupements politiques et le profond souhait d'une littérature quelque peu différente. C'est dans cette période qu'ont commencé de se faire entendre, distinctement, les formules de Nouvelle Gauche et de Nouveau Roman.

Cependant, cette hypothèse d'une convergence doit se garantir d'une erreur de lecture. Ce qu'il s'agit de souligner, avec elle, c'est, non point, selon un quelconque sociologisme étroit, que le Nouveau Roman, en sa venue, a été un reflet de ladite période, mais simplement qu'en ladite période ont concouru, l'un renforçant l'autre, les impérieux désirs, en politique comme en littérature, d'un certain renouveau. Faisant écho à cette sourde et puissante demande, une part de la critique, à l'époque, semble avoir réussi cette acrobatie étrange : réunir, soit pour s'en féliciter, soit parfois pour le craindre, divers écrivains qui, d'eux-mêmes, n'y avaient point trop songé. *Le Nouveau Roman a été, d'abord, une appellation venue de l'extérieur pour des gens qui n'avaient guère pris l'initiative de clairement se mettre ensemble.*

2. La phase molle

Dès lors, en l'absence de toute manifestation intrinsèque qui, fût-ce provisoirement, eût fourni certaine assurance orthodoxe, diverses listes d'écrivains ont prétendu rendre compte, sous un label ou bien tel autre, de cette nouveauté qui, par ces temps incertains, se trouvait dans l'air. Ainsi la critique, souvent à son insu, s'est vue aux prises avec plusieurs pièges. Ou bien la *pétition de principe* : refusant, pour leur hâte et leur hétéroclite, les diverses listes officieuses qui circulaient, l'on pouvait être tenté de déduire la composition du Nouveau Roman de l'éventuelle idée lumineuse que l'on se faisait du Nouveau Roman. Bref, prenant appui sur ce qu'il fallait précisément établir, l'on risquait de succomber au *cercle logique*. Ou bien le *noyau fallacieux* : supposant, au-delà de leur aspect parfois frivole, que ces listes devaient bien contenir, néanmoins, une nécessaire part de vrai, l'on pouvait être proche d'établir la composition du Nouveau Roman à partir des noms les plus souvent entendus. Bref, oubliant que plusieurs de ces listes, pour une part, provenaient de la paresseuse reprise de certaines autres, l'on risquait de se fonder sur un mirage répétitif, selon une *intersection illusoire*. Ou bien la *dilution sans limite* : considérant que ceux qui avaient été cités çà et là devaient bien offrir chacun, par quelques côtés, certaine vertu novatrice, l'on pouvait être porté, œcuméniquement, à les admettre tous. Bref, puisque, dans un si large ensemble, les nouveautés se trouvent, obligatoirement, et plus diverses, et plus ténues, l'on risquait de voir une crue intempestive faire advenir sitôt une cohue d'écrivains en surcroît, suivant une *réunion infinie*.

Ces difficultés effectives, il semble bien, du moins pendant de nombreuses années, que la critique se soit complue à les méconnaître. D'où un large consensus, avec son commode silence, établi, dirait-on, au profit de beaucoup. Est-il permis d'en risquer l'hypothèse ? Du côté des critiques, adverses ou favorables, cette complaisance offrait les avantages d'un thème malléable sans les sourcilleuses exigences de la rigueur. Du côté des écrivains en cause, il permettait à chacun, sans trop avoir à se définir sous cet angle, de se trouver promu, de temps à autre, avec un rien d'automatisme, par certains débats alors au goût du jour.

Cette période, qui s'est de la sorte poursuivie jusqu'à la fin des années soixante, et eu égard à la brume de ses incertitudes, il ne paraît pas incongru de l'intituler la *phase molle du Nouveau Roman*.

Mais à condition d'y reconnaître, évidemment, ma propre part de responsabilité. Pendant toutes ces années élastiques, et loin de battre en brèche ce confortable consensus, mes deux premiers volumes théoriques, bien qu'ils impliquassent chacun le Nouveau Roman en leur titre, semblent avoir eu pour rôle, sur ce problème de composition, de conduire méthodiquement le laxisme à son comble. Dans le premier, *Problèmes du Nouveau Roman*, toute une étude analyse « Les aventures d'Arthur Gordon Pym », d'Edgar Poe... Dans le second, *Pour une théorie du Nouveau Roman*, certains chapitres sont consacrés, non seulement, derechef, à Edgar Poe, mais encore à Flaubert, à Proust, à Roussel, à Valéry...

Nul doute que le souci d'éluder le problème n'ait été intense, dans cette période : la critique ne semble pas avoir trop souvent songé, lors, en effet, à fustiger tels deux livres pour les extrêmes licences que, sur ce point, ouvertement ils s'octroyaient... C'est seulement au cours d'une étude comparative de ce qui s'écrivait du côté du Nouveau Roman et du côté de la revue *Tel Quel*[1], que s'est imposée à moi l'importance d'une précise mise au clair. Dès lors, avec toutes manières de conséquences, la perspective a sitôt changé.

3. La phase ferme

Cette nouvelle époque à laquelle mes soins ont semble-t-il contribué, il n'est pas incorrect, peut-être, eu égard à ses exactitudes, de la nommer la *phase ferme du Nouveau Roman*.

Le problème, rappelons-le, se posait de la façon suivante. Jusque-là, comme ensemble, le Nouveau Roman avait été le résultat d'une détermination extérieure et imprécise. *Extérieure* : parce qu'il était advenu selon les variables jugements de la critique davantage que par le raisonnement approfondi de tel groupe de romanciers. *Imprécise* : puisque ainsi ses contours demeuraient discrètement insaisissables. Était-il donc possible d'invertir ces deux caractères majeurs pour obtenir, tout à la fois, et une détermination *interne* (qui procédât des écrivains eux-mêmes) et une composition *définie* (qui évitât les facilités du brouillard) ?

C'est dans cette perspective, et après quelques tâtonnements préliminaires, que me parut opportune l'idée de tenir, dans le cadre du Centre culturel de Cerisy, une réunion de dix jours sur le thème *Nouveau Roman : hier, aujourd'hui*. Pour que l'expérience fût probante, il était nécessaire que l'ampleur

---

1. Jean Ricardou, « Nouveau Roman, Tel Quel », in *Pour une théorie du Nouveau Roman*, Paris, Éditions du Seuil, collection « Tel Quel », 1971, p. 234-265.

n'en fût restreinte d'aucune manière au préalable. Ainsi, d'une part, l'annonce de ce colloque avec, notamment, le possible concours de certains écrivains, fut-elle dès que possible verbalement divulguée. Ainsi, d'autre part, à titre exploratoire, un premier groupe, non exclusif, d'invitations fut émis personnellement auprès de neuf romanciers.

On le devine : cette aventureuse initiative prenait le risque de rencontrer plusieurs embarras. Ou bien la *foule* : ayant eu vent d'une affaire si ouvertement ébruitée, d'innombrables romanciers se précipiteraient sous l'enseigne du Nouveau Roman. Ou bien, au contraire, le *désert* : aucun romancier ne jugerait utile de se réunir avec quiconque sous tel incertain pavillon. Ou bien l'*exigence positive* : certains acquiesceraient, mais à l'expresse condition que tel autre s'y voie aussi présent. Ou bien, à l'inverse, l'*exigence négative* : certains accepteraient, mais sous l'impérative réserve que, par contre, tel autre s'en trouve immédiatement exclu.

Or, de fait, il n'en est guère allé ainsi. Point de foule romancière : aucun autre écrivain n'a impérieusement proposé par lui-même de s'adjoindre. Point de désert, non plus : deux, seulement, parmi les neuf, ont refusé l'offre discrète : Samuel Beckett et Marguerite Duras. Les sept autres, s'agissant de Nouveau Roman, se sont estimés en suffisante compagnie : Michel Butor, Claude Ollier, Robert Pinget, Jean Ricardou, Alain Robbe-Grillet, Nathalie Sarraute, Claude Simon. Outre les travaux qui s'y sont accomplis, le colloque *Nouveau Roman : hier, aujourd'hui*, qui s'est réuni en 1971 à Cerisy [1], a donc déjà tenu, au moins, un premier rôle : permettre une *détermination interne*, puisque accomplie, par les intéressés eux-mêmes selon une manière de cooptation, et une *composition définie* puisque construite et admise par chacun d'eux, solidairement, sans récrimination d'aucune espèce.

Si robuste, ainsi, qu'il se proposât, tel acquis cependant n'était qu'une première étape sur la voie de la fermeté. Ce que ledit colloque avait établi, sur le mode empirique en quelque sorte, c'était la *composition du Nouveau Roman*. Ce

---

1. *Nouveau Roman : hier, aujourd'hui*, Paris, UGE, coll. « 10/18 », 1972, 2 vol.

qui demeurait à obtenir, maintenant sur le mode théorique, c'était une éventuelle *cohésion du Nouveau Roman*. Sans doute, la réunion de Cerisy avait-elle fourni consistance et contour à l'être tenace et insaisissable qui, depuis mainte année, hantait la critique, l'Université, la littérature. En ce sens, même, elle marquait dans cette modeste affaire une façon de date historique. Toutefois, résolvant de la sorte un premier problème, elle ne laissait pas d'en poser aussitôt un second : entre les ouvrages de ceux qui, sans réserve ni exclusive, avaient admis de faire partie intégrante du Nouveau Roman, existait-il, ou bien non, une précise communauté de perspective ?

C'est cette démonstration qu'a prétendu bientôt construire, dès 1973, le troisième ouvrage que j'ai risqué, sous un titre cette fois explicitement réduit au plus simple : *Le Nouveau Roman*[1]. Il ne saurait être question, certes, de reprendre ici le détail de ces analyses. Qu'on me permette néanmoins d'en rappeler deux résultats. Premièrement : tout se passe comme si le Nouveau Roman s'était écrit selon une manière de *stratégie* : l'insistante *mise en cause du récit*. Deuxièmement : cette mise en cause se déploie, de façon inégale, selon le recours à diverses tactiques : l'excès, l'abyme, la dégénérescence, l'avarie, la transmutation, l'enlisement. Or, il est difficile de ne pas l'admettre : le récit, en tant qu'il est cette structure par laquelle la relation des événements s'accomplit, est un des piliers de la représentation. Ou, si l'on préfère, *le Nouveau Roman, avec ses tactiques, déploie une stratégie d'outre-représentation*.

4. La réaction

Par suite, on le devine : les acquis de cette nouvelle période permettaient, du moins en rigueur, un inexorable changement de registre.

Au cours de la phase molle, il avait certes été loisible à la critique de traiter à sa convenance un thème plutôt ductile, et aux romanciers de recevoir sans trop se compromettre les

1. Il s'agit de la première partie du présent ouvrage.

bénéfices d'une effervescence à l'ordre du jour. Avec la phase ferme, se posaient dorénavant deux précises questions distinctes. D'une part, à la critique : selon quelle méthode rendre compte de cette précise communauté en matière de littérature ? D'autre part, aux romanciers : comment se définir, en tant qu'écrivain, dès lors qu'on accepte de faire partie d'un tel ensemble ? Voilà qui pouvait déranger quelque peu, apparemment, et la première, et les seconds.

La critique, on ne saurait dire qu'elle s'est beaucoup saisie de l'aventure pour éclaircir la difficulté. Quant aux Nouveaux Romanciers, si l'on m'excepte, ils se sont à cet égard rangés en deux inverses catégories. Les uns (Michel Butor, Claude Ollier) se sont maintenus paisiblement étrangers au problème. Les autres (Robert Pinget, Alain Robbe-Grillet, Nathalie Sarraute, Claude Simon), réunis en comité restreint, en 1982, lors d'un colloque exigu improvisé à New York, paraissent avoir fini, en ma commode absence, par en prendre un ombrage inégal et tardif [1]. L'un d'entre eux, même, l'antépénultième, semble avoir en l'occurrence un peu perdu la tête. C'est sa réaction, parce qu'elle est significative de l'ampleur des enjeux en cet humble sujet, qu'au risque d'une patiente précision je vais soumettre à l'analyse.

Le problème, il y avait deux manières d'y faire face. Soit par le haut : en tirant aussi loin que possible les conséquences de la situation advenue. Soit par le bas : en éludant autant que se peut les questions ainsi construites. Tout porte à croire qu'Alain Robbe-Grillet a choisi la voie inférieure et, peut-être, avec moins d'humour que d'humeur.

Que l'on me permette, d'abord, de rejeter (en note) les propos vraiment trop émotifs de mon excessif confrère [2]. Que

---

1. « Tous se sont accordés pour dénoncer le "terrorisme ricardolien" », Philippe Romon, « Révolution à New York : le Nouveau Roman », in *Libération* du 12 octobre 1982. Soit. Mais qu'on y songe un moment : se réunir en quarteron, à l'écart, et condamner tel de ses pairs privé ainsi de sa défense, voilà qui, dans l'ordre de l'intellect, semble plus proche de la violence que d'un juste recours à la raison. Dès lors, aux yeux de plusieurs, les moins distraits, il pourrait bien dissiper quelque peu sa force démonstrative, et peut-être, même, se renverser, le jugement qui accuse un *éventuel* « terroriste » selon certains moyens du terrorisme habituel.

2. « Une ombre hante Robbe-Grillet et à travers lui, l'ensemble du

l'on veuille bien considérer, ensuite, les étranges manœuvres qui ont tâché de mettre en cause la façon dont mes travaux ont établi, en leur temps, et la *constitution*, et la *cohésion* du Nouveau Roman.

C'est dans un entretien accordé à Mireille Calle-Gruber, en 1982, pour la revue italienne *Micromégas*[1], que le romancier de *La Jalousie* a laissé, semble-t-il, le plus libre cours à ses sentiments :

« ... Sarraute, Butor, Robbe-Grillet, Simon, Pinget, Duras... Car je persiste, moi, à inclure Duras dans le Nouveau Roman. Le critère de Ricardou selon quoi elle n'en fait pas partie parce qu'elle n'a pas voulu participer au colloque de Cerisy ne me semble pas pertinent. Marguerite Duras est quelqu'un d'extraordinairement personnel, obsédé par sa personnalité. Elle ne supporte pas d'être mélangée à quoi que ce soit. Mais il n'en reste pas moins que c'est du Nouveau Roman. Au sens large. Et je désire justement conserver le sens le plus large possible. Je suis contre toute idée restrictive de Nouveau Roman parce qu'une idée restrictive est contraire au projet même d'invention du roman. On ne peut pas dire : on va inventer le roman ; et aussitôt voilà les règles de l'invention. Ce que j'ai réclamé pour le romancier, c'est justement la liberté. De sorte que considérer qu'untel correspond mal aux normes figées par Ricardou m'est antipathique. Bref, pour moi, Duras fait partie du Nouveau Roman. Ainsi que Beckett. »

Congrès en a souffert : celle de Jean Ricardou, théoricien et maître à penser du colloque de Cerisy en 1971. Dix ans après, son spectre a plané sur les conférences de New York. "Le Nouveau Roman n'a pas abouti parce que la liberté ne peut pas s'institutionnaliser", dit Robbe-Grillet en précisant : "s'il avait abouti, Ricardou aurait pris le pouvoir. C'était un *stalinien, un fou*" », Philippe Romon, *art. cit.* Soit. Mais qu'on y pense un instant : l'ostentatoire injure (les mémorables *vipères lubriques*), l'accusation de démence (les persistantes *incarcérations psychiatriques*), n'est-ce point sous les cieux soviétiques qu'elles ont le mieux fleuri ? Dès lors, au regard de certains, les moins inattentifs, il pourrait bien corrompre quelque peu sa vertu persuasive, et peut-être, même, se retourner, l'arrêt qui incrimine un *hypothétique* « stalinien » suivant maints procédés du stalinisme classique.

1. Alain Robbe-Grillet, « Survivre à sa mode », in *Micromégas*, n° 20, spécial Nouveau Roman, Rome, Éditions Bulzoni, 1981, p. 7.

Passé son premier effet, nul doute, cette salve d'avis, qu'au lieu d'aborder avec soin, selon le bon usage, le problème réel, elle ne se plaise à plutôt fomenter un désordre proche l'inextricable. Que l'on m'accorde donc la liberté de faire saillir, en ce discours, diverses sortes de défauts.

4.1. *Une inadvertance*

Ce qu'il faut noter, d'emblée, c'est comme un zeste d'étourderie : « On ne peut pas dire : on va inventer le roman ; et aussitôt voilà les règles de l'invention. » L'on ne sache point trop qu'un quidam, en la seconde moitié du XXe siècle, ait jamais nourri le saugrenu fantasme d'inventer, tout à trac, un genre issu du fond des âges. Toutefois, si quelqu'un s'est jamais avisé de donner aussitôt « les règles de l'invention », il semble bien que ce soit moins celui qu'on accuse, que plutôt celui qui, atteint sans doute d'amnésie, se hausse en accusateur. C'est en 1973, je l'ai rappelé ci-dessus, plus de quinze ans *après* que la formule Nouveau Roman se fût accréditée, et donc nullement *aussitôt*, que mon bref ouvrage, loin d'édicter les règles d'une invention à venir, s'est plu à un peu autre chose : l'analyse des traits communs, s'agissant de stratégie et de tactique, à une kyrielle de volumes déjà parus. En revanche, c'est en 1961, et donc *presque aussitôt*, qu'Alain Robbe-Grillet, lors d'un essai repris dans *Pour un Nouveau Roman* [1], a soumis le jeune mouvement à un pressant catéchisme. Voici, dont la moindre n'est pas la naïveté qui oppose recherche et théorie, son autoritaire rafale de certitudes :

« Le Nouveau Roman n'est pas une théorie, c'est une recherche (p. 114). Le Nouveau Roman ne fait que poursuivre une évolution constante du genre romanesque (p. 115). Le Nouveau Roman ne s'intéresse qu'à l'homme et à sa situation dans le monde (p. 116). Le Nouveau Roman ne vise qu'à une subjectivité totale (p. 117). Le Nouveau Roman s'adresse à tous les hommes de bonne foi (p. 118). Le Nouveau Roman ne propose pas de signification toute faite (p. 119). »

Une lectrice ou un lecteur demeurent-ils, à cet égard, encore un peu en proie au doute ? Qu'ils se reportent, en le même

---

1. *Pour un Nouveau Roman*, Paris, Éditions de Minuit, 1963.

volume [1], à un article daté, cette fois, de... 1956 et suffisamment explicite, dès son titre : «Une voie pour le roman futur». Ils n'auront aucun mal à découvrir comment, *avant* même qu'elle fût tout à fait advenue, le libertaire romancier régentait d'emblée l'invention :

« *Dans les constructions romanesques futures*, gestes et objets seront là avant d'être quelque chose (...). Désormais, au contraire, les objets peu à peu perdront leur inconstance et leur secret, renonceront à leur faux mystère, à cette intériorité suspecte qu'un essayiste a nommée ''le cœur romantique des choses''. Celles-ci ne seront plus le vague reflet de l'âme vague du héros, l'image de ses tourments, l'ombre de ses désirs (p. 20). »

Par suite, elle pourrait bien prêter quelque peu à sourire, après de si impérieuses directives, et cet aveu opportun, de surcroît, advenu au cours d'un instructif échange, lors d'un colloque ultérieur [2] :

« Jean Ricardou : Et, en même temps, vous brutalisiez les gens en disant : ''oui, mais on ne peut plus écrire autrement.''

« Alain Robbe-Grillet : Ah ouais ! »
l'affirmation : «Ce que j'ai réclamé pour le romancier, c'est justement la liberté. »

Les mobiles de cette contradiction, peut-être sera-t-il permis plus loin de les entrevoir.

4.2. *Une inconsistance*

Ce qu'il convient de signaler cependant, au préalable, c'est comme un rien de relâchement : «Je suis contre toute idée restrictive du Nouveau Roman parce qu'une idée restrictive est contraire au projet même d'invention du roman. » Sitôt éteinte, en effet, la fugace prestance dont bénéficie on le sait toute opinion assez hardiment soutenue, il faut admettre ici qu'inéluctablement le propos s'effiloche. Une idée restrictive, celle qui limite un domaine rigoureux, ne saurait guère infliger, en soi, une quelconque entrave à l'invention. Il sem-

---

1. *Ibid.*, p. 15-23.
2. *Robbe-Grillet : analyse, théorie*, colloque de Cerisy, Paris, UGE, coll. « 10/18 », 1976, t. I, p. 39.

ble même avantageux de soutenir l'inverse : par la stricte définition qu'elle fournit d'un secteur précis, une idée restrictive
peut permettre qu'enfin se réunisse, à partir de là, et de façon
lucide, quelque peu *autre chose*. Ou, si l'on préfère, une idée
restrictive joue souvent le rôle, moins d'un frein que, diversement, d'un tremplin. Ainsi, s'agissant du même auteur et
pour concourir à son éventuelle délivrance, m'a-t-il été un
jour possible de mettre en jeu le principe hautement restric-
tif de la couronne. La couronne, en effet, dans la mesure où
elle circonscrit distinctement le travail déjà fait entre deux
limites, celle, disons, dont l'écrivain s'est affranchi, et celle,
disons, dont il demeure tributaire, peut établir, non seulement la nécessité, mais encore la capacité, pour lui, d'en sortir [1]. Davantage, c'est clairement sur son propre exemple
que le refus de l'idée restrictive achève de perdre son crédit.
Faire sienne, et Alain Robbe-Grillet, à juste titre, ne semble
guère s'en être privé, la formule d'un *Nouveau* Roman, c'est
bien avoir admis, en la rigueur du terme, de restrictivement
circonscrire quelque chose, d'abord, le Roman, par rapport
auquel, justement, en ses inventions, le Nouveau Roman
ferait *nouveauté*.

Un lecteur ou une lectrice demeurent-ils, à cet égard, encore
un rien en proie au doute ? Qu'ils se reportent aux ultimes
lignes de *Pour un Nouveau Roman* [2]. Ils y verront, au plus
court, l'écrivain mettre en acte l'exacte procédure qu'il refuse.
Ayant nourri, par hypothèse, et si fantaisiste soit-elle, une
idée restrictive, ô combien, du Nouveau Roman, aussitôt, et
non sans logique, Alain Robbe-Grillet en fait un *signal* pour
la venue d'une invention nouvelle :

« Mais dès que le Nouveau Roman commencera "à servir
à quelque chose", que ce soit à l'analyse psychologique, au
roman catholique ou au réalisme socialiste, *ce sera le signal
pour les inventeurs qu'un Nouveau Nouveau Roman
demande à voir le jour.* »

Les mobiles de cette contradiction, peut-être sera-t-il permis plus loin de les entrevoir.

1. « Un habitant de la couronne », in *Conséquences*, n° 4, 1984,
p. 43-47.
2. *Pour un Nouveau Roman*, *op. cit.*, p. 144.

4.3. *Une omnipotence*

Ce qui doit se voir souligné, encore, en attendant, c'est comme un reste d'autoritarisme : « Car je persiste, moi, à inclure Duras dans le Nouveau Roman. (...) Considérer qu'un tel correspond mal aux normes figés par Ricardou m'est antipathique. Bref, pour moi, Duras fait partie du Nouveau Roman. Ainsi que Beckett. » Nul doute que le geste du romancier des *Gommes* ne prodigue, du moins au premier abord, toutes les marques d'une ostentatoire munificence : recevons donc plutôt dans notre ensemble deux écrivains que des normes figées, seules, ont soumis à l'effacement. La venue de ces deux noms en sus joue ainsi un premier rôle : utiliser (du moins apparent) un libéralisme de l'accueil pour l'opposer (du moins prétendue) à une étroitesse normative. Toutefois, ce premier avis, il se pourrait bien qu'il évolue, et peut-être jusqu'à son inverse, si l'on observe, avec soin, la démarche en ses façons et ses fonctions.

C'est que cette manœuvre tient aussi un second emploi. S'agit-il, en élargissant par l'ajout d'écrivains le nombre des écrits en cause, d'obtenir, selon d'inédites analyses sur ces nouveaux objets, une plus riche lumière précise sur le Nouveau Roman ? Point du tout : tels deux écrivains, s'ils sont malgré eux convoqués en surplus, ce n'est en rien ici pour leurs textes eux-mêmes, à propos desquels le romancier de *La Maison de rendez-vous* se dispense d'adjoindre, fût-elle minime, une quelconque analyse, c'est seulement dans l'espoir de revenir à l'idée d'un Nouveau Roman « au sens large » et, même, « au sens le plus large possible ». Bref, ce qui survient surtout, avec ce libéralisme d'apparat, *c'est une nostalgique tentative de retour à la phase molle du Nouveau Roman*. La venue des deux noms en supplément possède bien, ainsi, une fonction seconde : utiliser (du moins apparent) un libéralisme de l'accueil pour revenir (dans sa largeur) à une antécédente cohue. Or, que cela ravisse ou que cela révulse, une inexorable rigueur préside aux incidences des concepts. Ayant choisi cette laxiste voie qui, sans critère défini, le pousse à un apport de noms, l'auteur du *Chemin du retour* rencontre à son insu l'inévitable pro-

blème, dès longtemps évoqué par mes soins, et rappelé dans
la seconde partie de la présente étude [1] : celui de la dilution
infinie. S'il s'agit, en effet, de donner au Nouveau Roman
le « sens le plus large possible », alors divers lecteurs scrupu-
leux pourraient bien trouver surprenant, et, les plus émotifs,
à leur tour, un rien « antipathique », la désinvolture par
laquelle, sans examen, Alain Robbe-Grillet oublie, dans sa
rallonge, non seulement un écrivain aussi novateur que Maurice Blanchot, mais encore d'innombrables parmi ses con-
frères.

Dès lors, éveillée par semblable aspect soustractif, une
moindre attention découvre bientôt le troisième élément de
la procédure. En effet, quiconque se reporte à l'énumération
par laquelle commence cette étrange tirade, n'a aucun mal
à percevoir que l'un, au moins, parmi les membres de
l'ensemble, se trouve en silence aboli, le romancier Claude
Ollier : « Sarraute, Butor, Robbe-Grillet, Simon, Pinget,
Duras... Car je persiste moi à inclure Duras... » La venue
des deux noms en surnombre dispose bien, ainsi, d'une fonction tierce : utiliser (du moins apparent) un libéralisme de
l'accueil pour masquer (aux yeux du lecteur) une exclusion
subreptice.

Cependant cette manœuvre comporte encore un quatrième
trait. Pour le saisir, il suffit de remettre le dispositif à
l'endroit. S'agit-il de la composition du Nouveau Roman ?
Alors, nul doute que la formule « normes figées par Ricardou » n'accuse ledit écrivain d'une exorbitante prise de pouvoir personnel : celui que, prétendument, je me serais jadis
arrogé. Du coup, exempt de vigilance, tout lecteur trop hâtif
se voit berné deux fois. Une première, parce que ce délit n'est
point accompli par celui qu'on accuse : mon audace, on l'a
vu (en 3), a seulement consisté, sur cette délicate question,
à offrir l'initiative au pluriel des intéressés. Une seconde,
parce que le défaut est le fait de celui qui accuse : les paroles
« car je persiste, *moi* » ou « bref, pour *moi* » trahissent suffisamment, en effet, de la part du romancier d'*Un régicide*,
le singulier diktat d'un moi souverain qui décide. La venue
des deux noms en surcroît présente donc bien une fonction

_____
1. Ci-dessus, p. 23-25, 228.

quarte : utiliser (du moins apparent) un libéralisme de l'acueil pour occulter (dans son étendue) une effective omnipotence.

Les mobiles de cette contradiction, peut-être sera-t-il permis plus loin de les entrevoir.

4.4. Une intermittence

Ce qu'il faut remarquer, toutefois, en ce cas, auparavant, c'est comme un brin d'inconstance. Ce qui se trouve mis en cause, alors, cette fois, s'agissant du Nouveau Roman, c'est, non plus le premier aspect de la phase ferme (la solide *constitution* de l'ensemble accomplie, selon mon initiative, par les intéressés), mais plutôt le second (sa *cohésion* précise, établie, par mes services, selon un patient labeur théorique). Les résultats de ce persévérant travail, nul doute que, par eux-mêmes, ils n'acceptent de subir toute critique argumentée : le souci du net, les soins de la rigueur, le recours aux exemples, si un écrit théorique les adopte, c'est notamment pour offrir leurs chances, autant qu'il se peut, à d'éventuelles réfutations. Cependant, au lieu d'observer d'assez près concepts et analyses, l'auteur d'*Instantanés* paraît se satisfaire d'un peu moins : jeter un discrédit épisodique sur l'effort même de théorie. Pareille dépréciation, hélas, ne s'accomplit qu'au prix, onéreux semble-t-il, d'un couple de déficiences.

La première se présente selon une volte-face inexpliquée. Qu'on en vienne à changer d'opinion, voilà qui, en soi, n'a rien d'illégitime : c'est le signe, souvent, d'une pensée qui point ne s'ossifie. Mais qu'on s'y avise en se dispensant de toute explication, voilà qui devient plus douteux : c'est la marque, souvent, d'une pensée qui fuit dans le caprice. Or, comme si pareille versatilité, en l'outrance de son aveu, virait à l'anodin d'un trait de caractère, c'est sans trop s'appesantir sur les raisons de son instabilité qu'Alain Robbe-Grillet se prend à brûler aujourd'hui ce qu'il prétendit adorer autrefois. Que le lecteur tolère ces rappels requis par la rigueur démonstrative. Ainsi, en 1971, dans *La Quinzaine littéraire*[1] :

« Les études de Ricardou nous passionnent… »

---

1. *La Quinzaine littéraire*, n° 121, juillet 1971.

Puis en 1982, dans ce même curieux entretien, toujours, de la revue *Micromégas*[1], à propos des écrits théoriques du même :

« Vous savez que je l'ai beaucoup encouragé dans les voies que je trouve aujourd'hui si déplorables. »

La seconde insuffisance, quant à elle, adopte la forme d'un décousu excessif. Ce qui suit aussitôt, en effet, la confession antécédente, c'est, non pas, ainsi qu'une minime exigence pourrait y conduire, une quelconque explication de la palinodie, mais, simplement, un étrange retour, et sur un léger ton dogmatique, à des réserves globales qui paraissent peu savoir éclaircir la question :

« Les mêmes [réserves] que j'ai toujours faites : la théorie fige, limite, normalise. La théorie manque d'humour. La théorie a besoin de dupes. »

Si c'est cela qu'Alain Robbe-Grillet a toujours pensé, alors elle tend à devenir suavement énigmatique, sa visible passion sans détour affichée, jadis, on vient de le voir, pour les études théoriques d'un tel...

Les mobiles de cette contradiction, peut-être est-il permis à présent de les entrevoir.

5. Le trouble

En effet, tel luxuriant cumul d'inconséquences ne saurait guère advenir, on le comprend, sans le secret concours d'une logique sous-jacente. Pour l'éclairer, il faut analyser, jusqu'ici seulement entrevue, la précise nature de l'enjeu : *comment se définir en tant qu'écrivain, dès lors qu'on accepte de faire partie d'un ensemble littéraire ?*

L'issue de ce problème, nul doute qu'elle ne suppose, douloureux peut-être quelquefois, un choix entre deux attitudes adverses. L'une, qui sempiternellement se répète, on peut l'appeler, atteinte par la pose, l'*aplomb d'auteur*. L'autre, qui patiemment s'élabore, on peut la nommer, astreinte par les proses, l'*altérité du scripteur*.

La première, il paraît bien qu'elle soit soutenue, non sans

1. *Op. cit.*, p. 15.

complaisance, par le gros des institutions culturelles. Ainsi, l'Université, le plus souvent, selon d'innombrables variantes (celles, en fait, de «L'homme-et-*l'œuvre*»). Ainsi, les médias, presque toujours, par exemple lors des aimables soirées du salon d'«Apostrophes» (celles, en somme, de *L'homme*-et-l'œuvre). La seconde, en revanche, il semble qu'elle doive frayer sa voie loin des vastes secours de ces massives entreprises.

Avec la catégorie d'auteur, ce qui s'établit, toujours, peu ou prou, c'est une personne, originelle et originale, dont l'œuvre tout entière ne saurait jamais être, en dernier ressort, que l'expressive émanation. Avec le concept de scripteur, ce qui se dispose, c'est un agent capable, notamment, d'accepter à tous niveaux la fondamentale partition de son faire : ici, ce qui se voit commun à plusieurs ; et là, ce qui éventuellement s'en distingue. L'auteur relève de l'incomparable : il est l'unique source de ce qu'il écrit. Le scripteur ressortit à la comparaison : il se pense en insérant au sein de soi son rapport à d'autres[1]. Bref, sitôt qu'il accepte d'appartenir à un ensemble littéraire, l'écrivain, fût-ce parfois à son insu, prend le risque de se devoir comprendre, non point comme un auteur, mais bien comme un scripteur.

Dès lors, toute relation à un groupe suppose, selon deux catégories disjointes, trois espèces de comportements.

Ou bien l'écrivain tire les pleines conséquences de son choix. Ainsi l'*auteur*, Marguerite Duras par exemple, si, du moins, l'on porte foi aux dires d'Alain Robbe-Grillet : «Marguerite Duras est quelqu'un d'extraordinairement personnel ; obsédée par sa personnalité.» Celui-là, l'ensemble, il le refuse purement et simplement : «Elle ne supporte pas d'être mélangée à quoi que ce soit.» Ainsi, à l'opposite, le *scripteur*, ce serait mon cas par exemple, si, du moins, l'on accorde crédit à cet aveu : l'idée de voir mes travaux comparés à tels

---

1. Pour d'autres caractères du scripteur : «Claude Simon, textuellement», in *Claude Simon : analyse, théorie*, Paris, UGE, coll. «10/18», 1975, p. 7-19 ou, in *Lire Claude Simon*, Paris, Les impressions nouvelles, 1986, p. 7-19, «Les métamorphoses du scripteur», in *Nouveaux Problèmes du roman*, Paris, Éditions du Seuil, coll. «Poétique», Paris, 1978, p. 316-351, et «Pluriel de l'écriture», in *Texte en main*, n° 1, Paris, 1984, p. 22-24.

autres sous l'angle du similaire et du différent ne m'importune en rien. Celui-là, l'ensemble, pourvu que sa constitution soit pertinente, il peut même aller jusqu'à le promouvoir. Ou bien l'écrivain adopte l'équivoque attitude du double jeu. Ainsi, pourrait-on dire, le *scraupteur*, Alain Robbe-Grillet par exemple, si, du moins, l'on porte attention à cette acrobatie : d'une part, selon le groupe, tirer les bénéfices d'une effervescence d'époque, d'autre part, en tant qu'auteur, jouir des privilèges d'un statut avantageux. Celui-là, l'ensemble, il ne peut ni l'accepter entièrement, ni le récuser tout à fait. Bref, ce qui se trahit en l'espèce, avec pareille nostalgie de la commode phase molle, n'est guère autre chose, dans cette double mise, que la nécessité structurale d'une propice confusion.

Par suite, l'on entrevoit que l'abondante cascade des contradictions joue un double rôle. Cependant, pour le mieux saisir, il semble nécessaire, une fois encore, de prendre la patiente mesure d'un minime détour.

Sans plus attendre, que je m'accuse donc, ce n'est pas une peccadille, d'avoir requis ci-dessus, comme si convenable, diverses fois, le terme de contradiction. Il pourrait bien y avoir quelque profit, en effet, à scinder avec soin l'empire de l'incohérence. Le scalpel de cette découpe pourrait être, au plus simple, l'opérativité de l'incompatible. Ainsi en viendrait-on à séparer deux catégories inégales. D'une part, l'*incompatibilité brûlante* : le divorce, en ce cas, entre les éléments apparaît comme l'indice qu'un problème, au moins, quelque part, doit se voir formulé, et si possible résolu. Ainsi Valéry, quand il s'inquiète : « J'ai l'esprit unitaire en mille morceaux [1]. » C'est à telle sorte d'occurrences, motrices en ce qu'elles supposent diverses métamorphoses, qu'il faudrait garantir le concept de *contradiction*. D'autre part, l'*incompatibilité stagnante* : l'inconciliable, en ce cas, est rendu naturel, de quelque façon, par la complaisance du constat. Ainsi Valéry, quand il se rassure : « J'ai ma "Schizophrénie" intellectuelle... [2]. » A semblable posture, statique en ce qu'elle

1. Paul Valéry, *Cahiers I*, Paris, Gallimard, coll. « Bibliothèque de La Pléiade », 1973, p. 26.
2. *Ibid.*, p. 136.

autorise un maintien en l'état, il conviendrait plutôt de réserver, dès lors, plus justement, le diagnostic d'*inconséquence*[1].

Il paraît donc possible de faire un pas de plus. Ce qu'il devient facile de saisir, en effet, à présent ce sont les deux modes adverses du *traitement des incohérences*. Ou bien l'on accepte de résolument les restreindre : alors, il importe de les réunir dans l'unité conflictuelle d'un problème à résoudre. Et c'est le *mécanisme des contradictions* qui survient ainsi. Ou bien l'on décide de confortablement les maintenir : alors, on est tenté d'en venir à la libertaire revendication d'un droit à l'inconséquence. Et c'est le *miracle de la personne* qui surgit sitôt. Car, cela dût-il surprendre, la personne, en son insondable mystère, c'est, avant tout, l'abyssale aptitude à faire tenir debout ce qui ne peut tenir ensemble. Nul doute, par exemple, que ce soit de ce paradoxe élémentaire que maints amateurs de psychologie ténébreuse tirent l'essentiel de leur ravissement : ce qui assure la singulière existence d'une personne, c'est, non point, dans le comportement ou les opinions, la solidarité d'une cohérence robuste (cela, comme apparemment le savait La Bruyère, est le ressort des *caractères typiques*), mais bien la réunion d'incohérences avérées (cela, comme Dostoïevski ne l'ignorait guère, est la recette des *personnages profonds*).

L'on conçoit aisément, par suite, les deux raisons qui semblent avoir stimulé, dans les propos d'Alain Robbe-Grillet, un si remarquable concours d'inconséquences.

La première, très générale, relève du *persuasif*. Les incohérences, on le devine, donnent un avantage de principe auprès, peut-être point trop rares, des différents lecteurs inattentifs : qu'ils n'aient guère accès, les uns, aux joies de la rigueur ; qu'ils répugnent plutôt, les autres, aux efforts qu'elle requiert. Alors, vis-à-vis de tous ceux qui, ainsi, diversement, supportent le décousu, quiconque le prodigue joue à tout coup sur le velours : à moindre frais, il peut continûment faire bonne figure même si, chaque fois, par ce curieux office, les problèmes de fond se trouvent évincés.

---

1. Pour un autre commentaire de cette distinction, « L'impossible Monsieur Texte », in *Pour une théorie du Nouveau Roman, op. cit.*, p. 71-73.

La seconde raison, intrinsèque en quelque sorte, ressortit au *constitutif.* Les incohérences, on l'a noté plus haut, offrent un atout de base auprès, peut-être un rien profus, des fervents amateurs de personnes. Alors, il est facile de saisir qu'en les multipliant le romancier du *Voyeur* obéit à une visible mécanique : d'une part, au niveau des arguments, tirer bénéfice, comme on l'a vu, d'une manière de prestance auprès des négligents ; d'autre part, à hauteur des comportements, maintenir, en l'abus persistant du droit à l'inconséquence, l'entité même que le groupement, par lui-même, met en crise. Ce degré superlatif de la personne : un Auteur.

6. Une méthode

La question des ensembles en matière de littérature suppose donc la mise au point d'une méthode capable d'éviter trois écueils principaux : le *collectivisme absolu*, qui fait de chacun l'identique à tout autre ; l'*individualisme intégral*, qui fait de chacun un pur incomparable ; l'*individualisme masqué*, avec lequel les précis problèmes posés par le collectif sont sans cesse obscurcis par l'auteur en personne. C'est à l'intelligence de cette méthode, et selon le provocant dispositif d'une charte, que, sur l'exemple du Nouveau Roman, souhaitent œuvrer ces paragraphes terminaux.

Article premier : Constitution

Un ensemble littéraire n'est jamais l'effet d'un strict concours de forces aveugles. C'est surtout selon un jeu d'initiatives qu'il advient. Par suite, sa constitution (ce qu'il est) n'est pas indépendante de sa constitution (ce qui l'a fait). Dès lors, on ne saurait guère éviter les deux faces de ce problème. Il y a donc avantage à préciser les opérations qui ont établi cet ensemble, et, notamment, si elles relèvent de l'interne (les intéressés eux-mêmes) ou de l'externe (des observateurs étrangers), du collectif (l'accord de plusieurs) ou de l'individuel (la décision d'un seul). Par exemple, la constitution du Nouveau Roman, sous les deux aspects de l'élaboration et de la configuration, telle qu'elle fut obtenue par le cooptatif colloque de Cerisy, ressortit à une collective détermination interne.

Article deux : Cohésion

Si un ensemble littéraire perdure, c'est qu'il se trouve uni par une force de cohésion : à tout le moins négative (l'éventuelle addition de ses refus) et le plus souvent positive (le probable groupe de ses traits communs). L'étude de la première ne doit donc pas dispenser de l'examen de la seconde qui, en général, en est la raison. Ce que l'on obtient avec l'éclaircissement de la cohésion, et à mesure de l'approfondissement du travail, c'est, en quelque espèce, sous l'angle opératoire, une *intersection ensembliste.* Par exemple, s'agissant du Nouveau Roman, la mise en évidence, avec ses diverses tactiques, d'une commune stratégie (la mise en cause du récit) relève, telle qu'elle a été tentée par mon opuscule de 1973, d'une détermination de sa cohésion positive.

Article trois : Sommation

Sitôt qu'on en a construit la cohésion, un ensemble littéraire peut se concevoir d'un autre point de vue. Ce que l'on prend en compte, cette fois, c'est, non plus seulement une communauté de traits, mais plutôt, à partir de cette base, la globalité des divers travaux. Ce que cette sorte de sommation considère, en rapport avec l'ampleur des analyses, c'est, en quelque façon, sous l'angle opératoire, une *réunion ensembliste.* Pour esquiver tout amalgame, il paraît alors souhaitable que ce nouvel objet possède sa propre dénomination. A titre d'exemple, l'on propose d'appeler *Le Nouveau Roman* ce qui aura été envisagé sous l'angle de l'intersection, et *Les Nouveaux Romanciers* ce qui aura été étudié dans la perspective de la réunion. Ainsi, l'opuscule de 1973, dans sa partie analytique (celle qui traite de la mise en cause du récit), considère l'ensemble dit « Le Nouveau Roman », et, dans sa partie bibliographique (celle qui rassemble l'essentiel des ouvrages avec des commentaires de chaque écrivain), commence à réunir, fût-ce au seul titre, insuffisant, de naissante esquisse, l'ensemble dit « Les Nouveaux Romanciers ».

Article quatre : Différenciation

Il reste toujours loisible d'étudier sur le mode différentiel l'ensemble constitué dès lors qu'on en a établi la cohésion. En effet, toute opération commune à plusieurs écrivains se combine obligatoirement, en chaque texte, avec maintes sortes de manœuvres distinctes. Par suite, d'un texte à l'autre, ce qui en vient à changer, c'est le détail de son exécution et son rôle, souvent, dans l'économie du passage. L'on devine toutefois qu'il y a deux manières, au moins, d'obtenir cette différenciation. Ou bien, ce que l'on prend pour appui, c'est l'opération elle-même, et l'on examine, en ce cas, les divers traitements qu'elle subit chez les écrivains concernés. L'on pourra, par exemple, étudier les *spécificités respectives de tel mécanisme chez divers Nouveaux Romanciers*. Ainsi, mon analyse « Le Nouveau Roman existe-t-il ? »[1] ébauche sommairement une étude de la mise en cause du personnage chez « Les Nouveaux Romanciers ». Ou bien, ce que l'on choisit pour pivot, c'est tel romancier lui-même, et l'on établit, à chaque fois par comparaison avec tels autres, sa manière spécifique de traiter un ensemble d'opérations communes. L'on pourra en somme analyser la *façon particulière, pour tel de ces écrivains, d'être un Nouveau Romancier*.

Article cinq : Extension

Cependant, quel que soit le mode de sa constitution, un ensemble, en matière de littérature, ne saurait en rien être confondu avec un club privé au sein duquel se retrancherait douillettement une quelconque étroite confrérie. Toute communauté qui s'enclôt va à l'encontre du principe pluriel qui la constitue. Ce à quoi elle s'offre, ainsi, c'est au subreptice retour de ce qu'elle a su outrepasser : l'instance de l'unique. Bref, l'ensemble doit pouvoir se penser en termes d'élargissement. Non point trop, certes, dans la perspective d'une *dilution* (selon la capricieuse convenance d'un tel, par

---

1. « Le Nouveau Roman existe-t-il ? », in *Nouveau Roman : hier, aujourd'hui* (I), *op. cit.*, p. 9-20.

quoi, on l'a noté, l'ambition d'une personne ferait résurgence), mais bien plutôt sur le mode de l'*extension* (suivant le recours à cette soigneuse rigueur qui évite de céder aux prétentieuses assurances d'un quidam). Dès lors, on devine quel paradoxe dénoue ce qui, au premier abord, eût pu paraître un repliement : *c'est le principe de cohésion, ici, qui offre à l'ensemble le critère de son extension.* En effet, c'est dans la mesure où il a permis, à partir de tel ensemble, de faire saillir une certaine communauté que ce groupe de traits peut en venir à concerner divers autres travaux. Mais ce qui surgit alors, sauf à trouver bonheur aux méprises, c'est un nouveau problème d'appellation : comment tel plus vaste regroupement éventuel peut-il être nommé ? La plus claire solution pourrait alors bien être, en maint cas, de recourir au principe même à partir duquel l'extension s'est accomplie. Par exemple, si l'on a réussi à faire entendre, du Nouveau Roman, qu'il a pour stratégie commune une mise en cause du récit, l'on pourra concevoir un « Roman antirécitatif », ou, plutôt, « métarécitatif », et, plus généralement ainsi que j'en ai commencé l'ébauche [1], un « Roman antireprésentatif », ou, plutôt, *métareprésentatif* [2], lequel, à partir du Nouveau Roman, pensera un ensemble de travaux plus large.

Article six : Expropriation

On le distingue donc aisément : le principe de cohésion joue en outre un double rôle.

D'une part, en ce que les analyses qui le corroborent laissent paraître un groupe de traits communs à différents écrivains au cours d'une même époque, il est en mesure de faire ressortir ce qu'on peut appeler un *mouvement* : une perspective de travail fructueuse dans telle période spécifiée. Dès lors se constitue un élément qui peut fournir matière, non seule-

---

1. « L'être lettré (aspects du roman antireprésentatif) », in *La Chronique des écrits en cours*, n° 2, Paris, Éditions de l'Équinoxe, 1981, p. 8-15.

2. Des travaux plus récents, dans le domaine de la *textique*, m'ont fait ici abandonner l'idée, trop courte en l'espèce, d'antireprésentation (note de 1989).

ment à l'*esthétique*, en tant que réflexion sur les biais par lesquels un art s'accomplit, mais encore à l'*histoire*, en tant que réflexion sur l'éventuelle venue de ces modalités au fil des âges.

D'autre part, reconnaître au principe de cohésion la vertu d'un critère d'élargissement, c'est admettre qu'il possède une capacité d'*expropriation*. En effet, dans la mesure où telle stratégie et telles tactiques apparaissent, non point comme une marque originale (celle, unique, d'un auteur), mais bien comme un caractère partagé (présent chez plusieurs écrivains), elles cessent d'être l'apanage d'une seule personne pour devenir, en principe, une possibilité permise à quiconque. Dès lors, on est conduit à se rendre d'une *extension restreinte* (la détermination d'un certain ensemble élargi), à une *extension généralisée* (l'incitation à un usage répandu de ces procédures). Bref, on est enclin à passer d'un acte d'*intellection* (avec ses acquis propres) à une attitude d'*enseignement* (avec ses voies nouvelles). Ainsi, pour prolonger l'exemple utilisé jusqu'ici, et en ce qui me concerne, ma participation réfléchie, d'abord à ce qui a été nommé *Le Nouveau Roman*, et, ensuite, à ce qui est appelé, depuis un certain temps, *Les Ateliers d'écriture*.

(1985)

Index

1. Problèmes et notions

2. Ouvrages des Nouveaux Romanciers

3. Nouveaux Romanciers

Table

COMPOSÉ PAR CHARENTE PHOTOGRAVURE À L'ISLE D'ESPAGNAC
ET IMPRIMÉ PAR MAME À TOURS
DÉPÔT LÉGAL : SEPTEMBRE 1990 - N° 12391 (25159).